JOSÉ CLEMENTE
OROZCO

JOSÉ CLEMENTE OROZCO

por Luis Rutiaga

Grupo Editorial Tomo, S. A. de C. V.
Nicolás San Juan 1043
03100 México, D. F.

1a. edición, abril 2004.

Nicolás San Juan 1043, Col. Del Valle
03100 México, D.F.
Tels. 5575-6615, 5575-8701 y 5575-0186
Fax. 5575-6695
http://www.grupotomo.com.mx
ISBN: 970-666-927-2
Miembro de la Cámara Nacional
de la Industria Editorial No 2961

Proyecto: Luis Rutiaga
Diseño de Portada: Trilce Romero
Formación Tipográfica: Luis Rutiaga
Supervisor de producción: Leonardo Figueroa

Impreso en México - *Printed in Mexico*

Contenido

Prólogo

El legado pictórico de José Clemente Orozco es no sólo cuantioso, sino impresionante por sus dimensiones y su magnitud: murales en la Escuela Preparatoria, frescos en el Templo de Jesús de Nazareno, en el Palacio de Bellas Artes y en la Suprema Corte de México; frescos en el Hospicio Cabañas, en el Palacio de Gobierno y en la Cámara de Diputados de Guadalajara. En diferentes ciudades norteamericanas, tanto en California (en la Biblioteca Baker) y en el Museo de Arte Moderno de Nueva York.

Trabajador incansable, Orozco hacía, además de murales, retratos, composiciones, bocetos, dibujos y estudios para murales que luego ejecutaba en las grandes capitales del mundo. Orozco realizaba sus pinturas a la manera antigua, con una mezcla de temple y óleo, de la misma manera que los pintores medievales.

La calidad de sus murales está ligada a las técnicas florentinas de la pintura al fresco, de menor transparencia que la que utilizara el otro gran muralista mexicano, Diego Rivera.

José Clemente Orozco no era por cierto un gran colorista, probablemente porque su interés fundamental era captar y plasmar en los muros del mundo las agonías y angustias del hombre, del dolor humano. Grises, oscuras, amargas son muchas de las imágenes de este mexicano universal quien evita la sensualidad y en cambio nos muestra un mundo oprimido y opresivo, denso, aguerrido y desgarrado. Como muestra de ello podríamos referirnos a un fragmento del mural al fresco en el Templo de Jesús el Nazareno, llamado "La gran Meretriz". No hay placer sino amargura en aquel rostro y la mueca que sugiere una sonrisa, no llega a ocultar la distorsión moral que en él se abriga.

La parte más importante de la carrera de Orozco, la que lo hizo una gloria nacional, duró apenas un cuarto de siglo. Orozco abandonó deliberadamente los éxitos o sinsabores que pudiera haberle deparado ese comienzo nada mediocre, si pensamos en las condiciones de guerra civil que prevalecían.

Desde 1916, año en que se llevó a cabo esa muestra, hasta 1923, cuando comenzó sus murales en la Preparatoria, no exhibió obra distinta de la que ya había mostrado en la Biblos. La pintura parece habérsele ofrecido como una amante ingrata, por lo menos si atendemos a los testimonios de los años veinte: a todos mostraba su inconformidad, respirando entre los dientes; a todos hacía comentarios sardónicos, y una vez tras otra amenazaba con retirarse o bien afirmaba que el mundo de la pintura estaba de cabeza.

En los veintiséis años transcurridos entre 1923 y 1949, fue aclamado por la crítica en México y en Estados Unidos, se exhibió su obra en París y en Viena; le fueron otorgadas las distinciones más altas del Estado mexicano; se convirtió en una gloria nacional e incluso vivió para ver cómo comenzaba el rechazo a su pintura y a todo lo que su generación había pintado.

En su *Autobiografía* no dice cuándo se casó, dónde conoció a su esposa o cómo era su relación con sus hijos. Es un texto estrictamente público: en él, Orozco sólo es un pintor. Lo mismo puede decirse de su pintura. Los cuadros que tuvieron para él algún significado personal o familiar son pocos. Casi todas sus obras son sobre la Justicia, la Ética, la Historia o, en todo caso, sobre el arte mismo: discuten qué debe ser la pintura. Tal es el caso, por ejemplo, del *Paisaje metafísico*, de 1948, una ventana a la abstracción que, como tal, es primordialmente una afirmación acerca de la naturaleza del arte.

Aunque es pública, su obra no siempre es transparente. En la Escuela Nacional Preparatoria, en varios de sus frescos norteamericanos, en la Universidad de Guadalajara y en el Hospicio Cabañas encontramos imágenes que requieren, para ser descifradas, del conocimiento del iniciado o de la explicación especializada. Es así porque son imágenes simbólicas organizadas en alegorías, y porque las mismas se remiten a un código.

En el caso de la Escuela Nacional Preparatoria, se ha demostrado que sus primeros frescos dependen de la teosofía, específicamente de *Los grandes iniciados*, de Schuré. Pero en ese mismo edificio, y en otros muchos, pueden encontrarse ejemplos de lo contrario, de la más absoluta transparencia, porque en Orozco estuvo presente siempre la expresión directa y precisa del caricaturista. Con seguridad y aplomo, sin recurrir a ninguna simbología oculta, podía trazar imágenes que tuvieran la contundencia de una aseveración periodística.

Ese contraste va acompañado de otro, relacionado con la manera de pintar. Orozco podía contraponer en el mismo conjunto una imagen de simetría, equilibrio y límites definidos a otra de violencia, movimiento y pinceladas violentas.

No es extraño encontrar, en la misma obra, en la misma superficie, la yuxtaposición del presente y el pasado, o de imágenes en color con dibujos en blanco y negro. Tal hizo, por ejemplo, en el Palacio de Gobierno de Jalisco. Orozco buscaba los contrastes que parecieran —o que fueran— irresolubles, y este designio puede aplicarse tanto a la forma como al contenido de sus obras.

Como buen alumno de la Academia mexicana, estuvo obsesionado toda su vida con el mejor uso posible de los materiales del arte, y con el dibujo "del natural". La comprensión de los materiales y herramientas de la pintura, o incluso la invención de nuevos materiales, caracterizó a la Academia de principios de siglo, a sus alumnos y a sus profesores. Siqueiros y el Dr. Atl experimentaron más que otros con nuevos materiales, pero en casi todos los pintores formados en esa época encontramos preocupaciones similares.

Orozco, que varias veces coqueteó con la idea de pintar un mural al aire libre, no es la excepción. Por otro lado, el dibujo tenía enorme importancia en la formación del artista, y la cima del dibujo, la disciplina más difícil y prestigiosa, era el dibujo del natural, que era del modelo humano desnudo. Se consideraba a esta práctica académica como un ejercicio indispensable para el buen pintor, aunque los dibujos logrados no necesariamente se utilizaban para ser trasladados a una obra en particular.

Las obras de Orozco casi siempre son públicas, pero eso no elimina el compromiso que pueda tener cada espectador con las mismas y, en tal sentido, se justifica hasta cierto punto la desconfianza generalizada ante todo intento de explicar las obras del pintor.

Cuando Orozco afirmaba que "una pintura es un poema y nada más", criticando al mismo tiempo las explicaciones sobre la pintura, estaba defendiendo la comunión entre el espectador y la obra. Esa comunión es la posibilidad de que, en efecto, el espectador se sustraiga al torrente general de las cosas y se dedique no a la mera, sino a la plena contemplación.

Las imágenes de Orozco proclaman esa aturdidora verdad de la existencia en las que son tan frecuentes la destrucción, la violencia, el caos, la explotación y la anarquía. No es posible ver las pinturas de Orozco con indiferencia. Su obra sacude al espectador y más allá de las técnicas o de las fidelidades al dibujo anatómico, en Orozco hemos de ver siempre el lado más doloroso de la existencia.

Luis Rutiaga

Si no hubiera sido pintor,
hubiera querido ser pintor.

José Clemente Orozco

Primeros años

José Clemente Orozco nació el 23 de noviembre de 1883 en Ciudad Guzmán, conocida también por Zapotlán el Grande, en el estado de Jalisco.

Su familia salió de Ciudad Guzmán cuando tenía dos años de edad, estableciéndose por algún tiempo en Guadalajara y más tarde en la ciudad de México, por el año de 1890. En ese mismo año ingresó como alumno en la Escuela Primaria Anexa a la Normal de Maestros, que en esa época ocupaba el edificio que ha sido sucesivamente Escuela de Altos Estudios, Departamento Editorial de la Secretaría de Educación Pública y Facultad de Filosofía y Letras, en la calle de Licenciado Verdad.

En la misma calle y a pocos pasos de la escuela, tenía Vanegas Arroyo su imprenta, en donde José Guadalupe Posada trabajaba en sus famosos grabados.

Bien sabido es que Vanegas Arroyo fue el editor de extraordinarias publicaciones populares, desde cuentos para niños hasta los corridos, que eran algo así como los extras periodísticos de entonces, y el maestro Posada ilustraba todas esas publicaciones con grabados que jamás han sido superados, si bien muy imitados hasta la fecha.

Los papelerillos se encargaban de vocear escandalosamente por calles y plazas las noticias sensacionales que salían de las prensas de Vanegas Arroyo: "El Fusilamiento del Capitán Cota" o "El Horrorosísimo Crimen del Horrorosísimo Hijo que mató a su Horrorosísima Madre".

Posada trabajaba a la vista del público, detrás de la vidriera que daba a la calle, y Orozco se detenía encantado por algunos minutos, camino de la escuela, a contemplar al grabador, cuatro veces al día, a la entrada y salida de las clases, y algunas veces se atrevía a entrar al taller a hurtar un poco de las virutas de metal que resultaban al correr el buril del maestro sobre la plancha de metal de imprenta pintada con azarcón.

Este fue el primer estímulo que le despertó la imaginación y que lo impulsó a emborronar papel con los primeros muñecos, la primera revelación de la existencia del arte de la pintura. Fue desde entonces uno de los mejores clientes de las ediciones de Vanegas Arroyo, cuyo expendio estuvo situado en una casa, ya desaparecida, por haber sido derribada al encontrar las ruinas arqueológicas de la esquina de las calles de Guatemala y de la República Argentina.

En el mismo expendio eran iluminados a mano, con estarcidor, los grabados de Posada y al observar tal operación recibió las primeras lecciones de colorido.

Bien pronto supo que en la Academia de Bellas Artes de San Carlos, a dos cuadras de la Escuela Normal, había cursos nocturnos de dibujo, y con gran entusiasmo ingresó a ellos. En aquella época el patio de la Academia estaba abierto, pero los corredores estaban cerrados con vidrieras y a lo largo de las paredes había infinidad de aquellas famosas litografías de Julien, la quintaesencia del academicismo y que tenían que copiar con el mayor cuidado y limpieza los que querían comenzar sus estudios de arte. Dura e innecesaria disciplina.

En 1897, su familia lo envió a la Escuela de Agricultura de San Jacinto a seguir por tres años la carrera de perito agrícola. Nunca le interesó la agricultura y jamás llegó a ser un perito en cuestiones agrarias, pero la educación y las enseñanzas que recibió en esa magnífica escuela fueron de mucha utilidad, pues el primer dinero que ganó en la vida fue levantando planos topográficos y posiblemente hubiera sido capaz de planear un sistema de riego, construir un establo o uncir bueyes y trazar con el arado muy largos surcos en línea recta. Podía muy bien sembrar maíz, alfalfa, caña; analizar tierras y abonarlas, en fin, conocimientos bastantes para explotar la tierra. Tres años de vida en el campo, sana y alegre.

Al dejar la Escuela de Agricultura sus ambiciones crecieron y fue su deseo ingresar en la Escuela Nacional Preparatoria, en donde permaneció por cuatro años con el vago propósito de estudiar más tarde arquitectura, pero la obsesión de la pintura le hizo dejar los estudios preparatorios para volver pocos años después a la Academia, ya con el conocimiento perfectamente definido de su vocación.

Habiendo muerto su padre, hubo de trabajar para sostener sus estudios en la Academia. Algunas veces fue dibujante de arquitectura. Otra vez estuvo por algún tiempo como dibujante en el taller gráfico de *El Imparcial* y otras publicaciones del señor Reyes Spíndola. Recordando con agrado a don Carlos Alcalde, hábil ilustrador de prensa y excelente persona.

Al tiempo de ingresar a la Academia de Bellas Artes para hacer estudios formales de pintura, la institución estaba en el apogeo de su eficiencia y buena organización. Había recibido un gran impulso de don Antonio Fabrés, un gran pintor académico español traído a México por don Justo Sierra, ministro de Instrucción Pública, para hacerse cargo de la Sección de Pintura como maestro supremo.

Al llegar de Europa hizo una gran exposición de sus numerosas obras en las salas de la Academia, habiendo causado tal exposición una gran sensación entre los artistas e intelectuales de México, pues mostraba profundos conocimientos de la técnica pictórica y una habilidad excepcional. Los temas de sus pinturas eran en su mayoría religiosos y de costumbres. Pintura muy influenciada por Velázquez y otros pintores semejantes, españoles. Inmediatamente fue rodeado por un numeroso grupo de discípulos y empezó a trabajar él mismo en un gran estudio que le fue proporcionado en la misma Academia.

Los salones de clases nocturnas fueron reconstruidos por Fabrés, instalando muebles y enseres especiales, muy propios para el trabajo de los alumnos. La iluminación eléctrica era perfecta y había la posibilidad de colocar un modelo vivo o de yeso en cualquier posición o iluminación por medio de ingeniosa maquinaria parecida a la del escenario de un teatro moderno.

Para los modelos vestidos trajo de Europa una gran cantidad de vestimentas, armaduras, plumajes, chambergos, capas y otras prendas algo carnavalescas, muy a la moda entonces en los estudios de pintores académicos. Con esta colección de disfraces era posible pintar del natural mosqueteros, toreros, pajes, odaliscas, manolas, ninfas, bandidos, chulos y otra infinidad de tipos pintorescos a que tan afectos eran los artistas y los públicos del siglo pasado.

Entre los discípulos predilectos del maestro Fabrés hay que mencionar a Saturnino Herrán, una verdadera promesa para la pintura mexicana y que hubiera llegado a ser un artista notable en el México de hoy.

Otros discípulos o simples asistentes a las clases de Fabrés fueron Diego Rivera, Benjamín Coria, los hermanos Garduño, Ramón López, Francisco de la Torre, Francisco Romano Guillemín, Miguel Ángel Fernández y otros muchos.

Las enseñanzas de Fabrés fueron más bien de entrenamiento intenso y disciplina rigurosa, según las normas de las academias de Europa. Se trataba de copiar la naturaleza fotográficamente con la mayor exactitud, no importando el tiempo ni el esfuerzo empleado en ello. Un mismo modelo, en la misma posición, duraba semanas y aun meses frente a los estudiantes, sin variación alguna. Hasta las sombras eran trazadas con gis para que no variara la iluminación. Al terminar de copiar un modelo determinado durante varias semanas, un fotógrafo tomaba una fotografía del modelo a fin de que los estudiantes compararan sus trabajos con la fotografía.

Otro ejercicio muy frecuente era copiar un modelo de yeso, puesto de cabeza, la Venus de Milo, por ejemplo.

Por todos estos medios y trabajando de día y de noche durante años, los futuros artistas aprendían a dibujar, a dibujar de veras, sin lugar a duda.

La entrada de Orozco a la Academia fue unos seis meses antes de que el maestro Fabrés regresara a Europa. Asistió a sus talleres sin llegar a ser propiamente su discípulo, pero sí lo suficiente para darse cuenta de lo que había que hacer para aprender a pintar, y se puso a hacerlo con tenacidad, con verdadero encarnizamiento, con la determinación de quien quiere alcanzar un fin sin importarle el precio y así fue por varios años.

En la Academia había modelo gratis, tarde y noche, había materiales para pintar, había una soberbia colección de obras de maestros antiguos, había una gran biblioteca de libros de arte, había buenos maestros de pintura, de anatomía, de historia del arte, de perspectiva y, sobre todo, había un entusiasmo sin igual. ¿Qué más se podía desear?

"Maguey", 1921.

El Doctor Atl y Julio Ruelas

La primera noticia que recuerda Orozco haber tenido del Doctor Atl fue con motivo de una controversia pública muy aguda entre él y los amigos de Julio Ruelas. Parece que fue uno de tantos choques entre los románticos y los modernistas. Ruelas era un pintor de cadáveres, sátiros, ahogados, fantasmas de amantes suicidas, mientras que el Doctor Atl traía en las manos el arco iris de los impresionistas y todas las audacias de la Escuela de París. Ruelas había hecho un magistral autorretrato al aguafuerte y encima de la cabeza se había grabado un insecto monstruoso que le clavaba en el cráneo un aguijón colosal: era la crítica. Y otros grabados que representaban demonios bajo la apariencia de súcubos sorbiendo los sesos de un pobre hombre. Pero la época que se aproximaba ya no iba a ser de súcubos, sino de violencia y canalladas.

Poco después encontró a Atl en la Academia; tenía ahí un estudio y asistía a los talleres de pintura y de dibujo nocturno; mientras trabajaban, él les contaba con su palabra fácil, insinuante y entusiasta, sus correrías por Europa y su vida en Roma; les hablaba con mucho fuego de la Capilla Sixtina y de Leonardo da Vinci. ¡Las grandes pinturas murales! ¡Los inmensos frescos renacentistas, algo increíble y tan misterioso como las pirámides faraónicas, y cuya técnica se había perdido por cuatrocientos años!

Los dibujos que hacía Atl eran de gigantes musculosos en actitudes violentas como las de la Sixtina. Los modelos que copiaban eran obligados a parecerse a los condenados del Juicio Final.

Ya por entonces había inventado Atl sus colores secos a la resina, que se trabajaban como el pastel, pero sin tener la fragilidad de éste. La idea era, según les decía, tener colores que lo mismo sirvieran para pintar sobre un papel o sobre tela, que sobre una roca del Popocatépetl; lo mismo en pequeño que en grande y sobre cualquier material, así fuera metálico, al interior o a la intemperie.

Unos colores así serían ciertamente cosa de maravilla y los que ya usaba, si no eran todavía perfectos, representaban un paso considerable hacia el fin deseado. Con ellos pintó unos cuadros muy grandes sobre tela, que representaban los volcanes y que decoraban un café muy espacioso que hubo en la calle de 16 de Septiembre en la acera sur, cerca de San Juan de Letrán. Con los mismos colores pintó también un gran friso de figuras femeninas como ninfas o musas conduciendo una guirnalda hacia un retrato de Olavarrieta, un filántropo de Puebla que donó una valiosa colección de cuadros antiguos a la Academia. Este friso estaba colocado sobre los mismos cuadros, que eran exhibidos por primera vez.

La técnica de aprendizaje que dejó Fabrés fue bastante modificada por sus alumnos. Los modelos ya no duraban en la misma posición días y más días. El dibujo era muy concienzudo, pero hecho con más rapidez para adiestrar más la mano y el ojo. Los nuevos ejercicios consistían en disminuir poco a poco el tiempo de copia de un modelo vivo hasta hacer croquis rapidísimos, en fracciones de minuto y más tarde llegar a dibujar y pintar de un modelo en movimiento. Ya no había fotografía con la cual comparar los trabajos, y la simplificación forzosa del trazo instantáneo hacía aparecer el estilo personal de cada estudiante.

En esas veladas de jóvenes aprendices de pintura apareció el primer brote revolucionario en el campo de las artes de México. En las pasadas épocas el mexicano había sido un pobre sirviente colonial, incapaz de crear nada ni de pensar por sí mismo; todo tenía que venir ya hecho de las metrópolis europeas, pues eran considerados una raza inferior y degenerada. Se les permitía pintar, pero había de ser como pintaban en París y habían de ser los críticos parisienses los que juzgaran la obra y dieran su fallo definitivo.

La arquitectura vino a ser un refrito de los chalets y *chateaux* franceses. Todos los mármoles y las esculturas de edificios públicos y privados procedían de Italia.

Imposible que un desgraciado mexicano soñara siquiera en igualarse con el extranjero y al extranjero se iban todos para consagrarse y si alguna vez se acordaban del país atrasado donde nacieron, era para pedir auxilio en momentos de apuro, pese a la consagración, que no impedía que fueran considerados por allá como rastacueros tropicales.

Imperaba el criterio académico: "ya los antiguos llegaron a la perfección, ya hicieron todo lo que es posible hacer y sólo nos queda copiarlos e imitarlos servilmente. El dibujo florentino con el color veneciano. Y si un pintor quiere hacerse modernista, que vaya a Montparnasse a tomar órdenes".

En aquellos talleres nocturnos donde oían la entusiasta voz del Doctor Atl, el agitador, empezaron a sospechar que toda aquella situación colonial era solamente un truco de comerciantes internacionales; que tenían una personalidad propia que valía tanto como cualquiera otra. Debían tomar lecciones de los maestros antiguos y de los extranjeros, pero podían hacer tanto o más que ellos. No soberbia, sino confianza en ellos mismos, conciencia de su propio ser y de su destino.

Fue entonces cuando los pintores se dieron cuenta cabal del país en donde vivían. Saturnino Herrán pintaba ya criollas que él conocía, en lugar de manolas a la Zuloaga. El Doctor Atl se fue a vivir al Popocatépetl y Orozco se lanzó a explorar los peores barrios de México. En todas las telas aparecía poco a poco, como una aurora, el paisaje mexicano y las formas y los colores que les eran familiares: primer paso, tímido todavía, hacia una liberación de la tiranía extranjera, pero partiendo de una preparación a fondo y de un entrenamiento riguroso.

¿Por qué habían de estar eternamente de rodillas ante los Kant y los Hugo? ¡Gloria a los maestros! Pero también podían producir un Kant o un Hugo. También podían arrancar el hierro de las entrañas de la tierra y hacer máquinas y barcos con él. Sabían levantar ciudades prodigiosas y crear naciones y explorar el Universo. ¿No eran las dos razas de donde procedía la estirpe de los titanes?

Tal era el espíritu de rebeldía que animaba a aquel pequeño grupo de aprendices, enriquecido poco después por los más jóvenes que iban llegando y todos oían asombrados las palabras proféticas del Doctor Atl: "¡El fin de la civilización burguesa!" ¿El fin de la civilización? ¿La civilización era burguesa? Palabras absolutamente nuevas para Orozco, aunque ya viejas en los libros.

Los sucesores de Fabrés fueron don Leandro Izaguirre y don Germán Gedovius. El primero era el autor del cuadro tan conocido del *Suplicio de Cuauhtémoc*, de la misma generación del pintor Mateo Herrera, cuando eran los grandes temas históricos los asuntos de las telas y no estaba todavía de moda irse a consagrar a París, sino a Roma, en donde copiaban de los mármoles las mismas figuras que habían copiado aquí del yeso.

Antes de regresar a México, se daban una pasada por Madrid para hacer las indispensables copias de Velázquez y vendérselas al Gobierno.

Nada más que la diferencia entre el original en el Museo del Prado y las copias, era la misma que había entre el sol que alumbra desde los cielos y un sol pintado con ocrillo de la tlapalería sobre el overol mugroso de un cobrador de camión. Por más que copiaban a Velázquez, jamás supieron cómo conseguía el maestro de maestros esas tonalidades plateadas y profundas de *Las Meninas*.

Era una época en que los pintores, aun los más aptos, ignoraban casi en absoluto la parte física y química de su oficio. Para ellos era un misterio indescifrable lo que eran los colores. Lo único que sabían era ir a comprar al comerciante tantos metros de tela y una colección de tubos de color; cómo estaba preparada la tela, qué había dentro de los tubos y qué reacciones químicas iban a producirse, eran cosas totalmente desconocidas y ni siquiera trataban de averiguarlo. Es por esto que los copistas de los museos rara vez lograban igualar la brillantez de color y la solidez de las obras de los antiguos maestros.

"Maternidad". Detalle, 1922-1927.

La exposición española y la mexicana

Los discípulos del maestro Gedovius eran los mismos que habían sido de Fabrés. Asistía también Alberto Fuster, pintor mexicano, ya maduro, que regresaba de Alemania y que allí mismo en la Academia emprendía su gran tríptico de *Los rebeldes*. No sabemos en dónde pueda encontrarse ahora tal pintura. Fuster se suicidó años después en Texas, según informó la prensa. Era un pintor brillante, de concepciones grandiosas y profundo conocedor de la técnica.

Otro pintor de mucho talento, de la misma época, fue Rubén Guzmán. En los talleres de Gedovius había en esa época gran entusiasmo por trabajar; pero con el tiempo fue decayendo, porque la disciplina comenzó a aflojarse. La juventud era invadida por el cáncer de la bohemia, que destruía voluntades, aptitudes y vidas. La bohemia, de melena, pereza, suciedad, alcohol y enfermedades surtidas.

Todos trabajaban ya de mala gana y debajo de la plataforma donde posaba la modelo; alguna otra modelo y un estudiante audaz, mordisqueaban la manzana, sin que el inocente maestro Gedovius, recorriendo los caballetes, haciendo correcciones y dando consejos, se diera cuenta de nada.

Al fin quedaron solamente los fósiles, es decir, hombres y mujeres que habían entrado a la Academia a la edad de quince años, y salieron después de los cuarenta, sin acabar de saber si las sombras se pintaban con negro de humo o con negro de hueso.

La Academia fue, y parece que seguirá siendo, un almacén de momias y de fósiles.

Para celebrar el primer centenario del Grito de Dolores en 1910, el Gobierno hizo grandes festejos y uno de los números fue una gran exposición de pintura española contemporánea de la época, cuyos gastos fueron cubiertos por México; parece ser que la subvención era algo así como de veinte a veinticinco mil pesos, sin incluir un costoso pabellón especialmente construido para el caso en la Avenida Juárez, frente al Hotel Regis.

Estaban representados con numerosos cuadros Zuloaga y Sorolla, muy en boga.

Pero entonces, los estudiantes protestaron ante la Secretaría de Instrucción: la exposición española estaba perfectamente, pero ¿qué no se nos daría nada a los mexicanos, cuya independencia era precisamente lo que se celebraba? El Doctor Atl, en su calidad de líder, hizo entonces algunas negociaciones y como resultado de ellas se les favoreció con tres mil pesos para una exposición colectiva en la Academia. El grupo era de unos cincuenta pintores y unos diez escultores. Resolvieron nombrar tesorero de la ridícula suma al licenciado Joaquín Clausel, también pintor, y se repartieron el dinero en porciones de cincuenta y cien pesos con la obligación de presentar dos cuadros, dibujos, esculturas o grabados recientes e inéditos en dos meses de plazo, aparte de otras obras.

Para la admisión final no había jurado; cada obra era levantada en alto y por aclamación se aceptaba o se rechazaba por la muchedumbre y fueron rechazadas muchas a silbidos, pues no era sociedad de elogios mutuos.

La exposición fue de un éxito grandioso, completamente inesperado. La española era más formal y pomadosa, pero la mexicana con todo y ser improvisada, era más dinámica, más variada, de más ambición y sin ningunas pretensiones. Ocupaba el patio por entero, los corredores y todos los salones disponibles. Nunca se había visto en México una exposición semejante.

La mayoría de los jóvenes artistas exhibían por primera vez sus obras. Orozco presentó una serie de dibujos al carbón que ya desaparecieron. No se sabe qué fue de ellos.

La aventura no paró allí. Entusiasmados por el éxito, aceptaron una proposición del Doctor Atl: organizar inmediatamente una asociación que bautizaron con el nombre de "CentroArtístico", y cuyo objeto exclusivo era conseguir del Gobierno, muros, en los edificios públicos, para pintar. ¡Al fin se realizaría su ambición suprema! Tomaron en arrendamiento un local en el segundo piso de una casa en la calle de Monte de Piedad, y la inauguración fue celebrada ruidosamente con unos maravillosos macarrones a la italiana cocinados por el Doctor Atl en latas vacías de petróleo, y ríos de cerveza cedidos por una cervecería a cambio de unos carteles de anuncio.

Pidieron a la Secretaría de Instrucción el anfiteatro de la Preparatoria, recién construido, para decorar los muros. Les fue concedido; se repartieron los tableros y levantaron andamios.

La gran exposición de pintura mexicana había tenido lugar en septiembre de 1910. Empezaron a hacer preparativos para la pintura mural en noviembre siguiente. El día 20 estallaba la Revolución.

Había pánico, y sus proyectos quedaron arruinados o pospuestos.

Todos sabemos lo que pasó al triunfo de la revuelta maderista y de cómo se hizo gobierno. Uno de los periódicos de oposición era uno de los muchos hijos que tuvo aquel antiguo Ahuizote. Éste del que se habla, estaba dirigido por don Miguel Ordorica, luego director de *Últimas Noticias*. Orozco había sido presentado con él por el periodista Joaquín Piña, amigo suyo, y había entrado a trabajar de caricaturista. Supo entonces cómo se hacía un periódico político. Los redactores se reunían con el director y discutían acaloradamente los acontecimientos públicos, y la discusión hacía suficiente luz para artículos pertinentes y caricaturas oportunas. Los chivos expiatorios eran, naturalmente, los personajes políticos de primera fila.

Don Jesús Luján, el amigo de Ruelas, le compró en cien pesos el original de uno de los dibujos que hizo para el *Hijo*. Era una caricatura sangrienta de la plana mayor maderista: Sánchez Azcona, Querido Moheno, Bonilla, Gustavo Madero, Zapata, Jesús Urueta, etc.

Así como Orozco entró en un periódico de oposición podía haber entrado a uno gobiernista, y entonces los chivos expiatorios hubieran sido los contrarios. Los artistas no tienen ni han tenido nunca convicciones políticas de ninguna especie, y los que creen tenerlas, no son artistas.

El episodio maderista, revolución a medias, era pura confusión e inconsciencia; lo demás fue lo mismo y quedó todo igual que antes.

Las ideas de rebeldía de los jóvenes pintores de 1910 continuaban en plena fermentación, grandemente estimuladas por el estado general de desorden político en que se encontraba el país.

Algunos profesores de la Academia, recién llegados de París, habían importado un sistema francés de enseñanza del dibujo llamado Sistema Pillet, algo peor que la copia de la estampa y la del yeso. Esto acabó con la paciencia de los estudiantes, que declararon una huelga que duró dos años, de 1911 a 1913. El director de la Academia, el arquitecto don Antonio Rivas Mercado, constructor del monumento a la Independencia, fue apedreado en un motín de estudiantes, y ésta fue la primera vez que Alfaro Siqueiros e Ignacio Asúrtsolo fueron a dar a la cárcel. Se pedía la destitución del director Rivas Mercado y de los profesores del Pillet, y un cambio radical en los planes de estudio.

El Doctor Atl se había ido a Europa, y el líder del movimiento era Raziel Cabildo, el compañero más culto y más ecuánime.

Era Raziel un poeta romántico que había venido a la Academia a estudiar pintura. De carácter muy dulce, excelente amigo e incapaz de la menor deslealtad. Publicaba pequeños periódicos literarios con nombres como Azul, que no duraban más allá de los tres primeros números.

Otro compañero muy querido de Orozco fue Ramón López, que, como Raziel, era un hombre de alma blanca y pensamientos puros. Los dos eran bohemios, pero era la bohemia poética e idealista de Rodolfo dándole el último adiós a Mimí.

Ramón López usaba abundante barba negra y un gran sombrero de alas anchas. Pintaba lentamente figuras y paisajes muy bellos, que años más tarde recordó Orozco al conocer las obras de Cézanne, y que estaban saturadas de una melancolía ausente en Cézanne; pero construidas tan sólidamente como las del maestro francés. Ramón López no conoció a Cézanne ni en reproducciones. Murió en 1914.

Raziel era el que redactaba, naturalmente, los manifiestos contra la Academia. El lenguaje de estos manifiestos no tenía nada de incendiario, sino que era tan suave y armonioso, como el de Rubén Darío. La brigada de choque la formaban los analfabetos: Asúnsolo, Fernández Urbina, Alfaro Siqueiros, los hermanos Labrador, hoy banqueros poderosos en Isabel la Católica; José de Jesús Ibarra, hoy periodista; Luis G. Serrano, Romano Guillemín y Miguel Ángel Fernández.

No teniendo ninguna solución la huelga, se reunían en las cantinas del barrio.

Raziel, Ramón López y Francisco de la Torre acababan llorando a lágrima viva sobre las copas de tequila después de oír los doloridos versos de Raziel a una bailarina, y las tétricas canciones de Ramón López con invocaciones a la "muerte inhumana" y al "triste taller de campanas mortuorias".

"La trinchera", 1923-27.

El estudio de Illescas

En 1911 ó 1912 volvía de París Alfredo Ramos Martínez. Ya se conocía su cuadro de *La Primavera*, que representaba cuatro o cinco muchachas aristocráticas con vestidos vaporosos de colores suaves, en medio de una inundación de flores, cintas y encajes, y el todo sumergido en un ambiente cargado de perfumes.

Los pensionados a Europa tenían la obligación de mandar a México algunos cuadros anualmente, para ser exhibidos en grupo. Así se conocieron los paisajes de *Las Baleares*, de Montenegro, *La casa sobre el puente*, de Rivera, los cuadros de Ramos Martínez, Ángel Zárraga, Téllez Toledo y Goitia.

Ramos Martínez lanzó su candidatura para director de la Academia y pidió el apoyo de los estudiantes huelguistas prometiendo acabar con el monstruo académico y hacer grandes reformas en los métodos de estudio. Les mostró una rica colección de vestidos de seda tornasolada que lucieron las modelos para el cuadro de *La Primavera*. Les habló largamente de Renoir, de Matisse, de Claude Monet, de Pizarro y, en fin, de todos los impresionistas franceses y de la aldea que hicieron famosa: Barbizón. Los muchachos pintores cayeron definitivamente, para no levantarse más, en el embrujo parisiense de *La Primavera*.

Ramos Martínez fue director; lo primero que hizo fue fundar en Santa Anita, D. F., una escuela de pintura al aire libre llamada pomposamente "Barbizón", que era como fundar sobre el río Sena, cerca de París, un Santa Anita con trajineras, pulque, charros, enchiladas, huaraches y cuchilladas. A dos pasos de la Torre Eiffel.

Esto no quiere decir que Ramos Martínez hizo mal; al contrario, era la reacción natural contra la Academia, ya en completa descomposición. Porque los buenos métodos académicos de orden y disciplina habían desaparecido y sólo quedaban la ineptitud y la rutina. Lo malo estuvo en las consecuencias de esta innovación, de las cuales se hablará más tarde.

Tanto aire libre no fue del agrado de Orozco y se separó del grupo. Tuvo entonces un estudio en la calle de Illescas, luego llamada Pedro Ascencio; plagada de casas de magnífica nota, de lo más lujoso, y que albergaban embajadas venidas de la Francia, de Norteamérica, de África, del Caribe y de Centroamérica.

Los barbizonianos al aire libre pintaban muy bonitos paisajes, con los reglamentarios violetas para las sombras y verde nilo para los cielos, pero a Orozco le gustaban más el negro y las tierras excluidas de las paletas impresionistas. En vez de crepúsculos rojos y amarillos pintó las sombras pestilentes de los aposentos cerrados y en vez de indios calzonudos, damas y caballeros borrachos.

Su estudio era muy frecuentado por las diosas más radiantes. Les encantaba verse retratadas en sus pinturas y se las llevaban gustosas después de servir de modelos para las mismas.

Orozco no tomó parte alguna en la Revolución, nunca le pasó nada malo y no corrió peligro de ninguna especie. La Revolución fue para él lo más alegre y divertido de los carnavales, es decir, como dicen que son los carnavales pues nunca los había visto. A los grandes caudillos sólo los conoció de vista, cuando desfilaban por las calles al frente de sus tropas y seguidos de sus Estados Mayores.

Por eso le resultaban muy cómicos los numerosos artículos que aparecieron en los periódicos americanos acerca de sus hazañas guerreras. El encabezado en un diario de San Francisco, decía *The bare footed soldier of the revolution* (El soldado descalzo de la revolución). Otro relataba con detalles minuciosos sus diferencias con Carranza, que lo perseguía implacable a causa de sus ataques. El de más allá dramatizaba la pérdida de su mano izquierda, arrojando bombas en un terrible combate entre villistas y zapatistas, siendo que verdaderamente la perdió cuando era muy joven, jugando con pólvora; un accidente como otro cualquiera. Hubo varios que lo hicieron aparecer como uno de los abanderados de la causa indígena y hacían un retrato de su persona en el cual podía reconocerse a un tarahumara. Orozco jamás se preocupó por la causa indígena, ni arrojó bombas, ni lo fusilaron tres veces, como aseguraba otro diario.

La Decena Trágica, que muchos llamaban mágica, fue algo terrible, realmente, pero Orozco no estuvo en la Ciudadela ni en los alrededores. El ladino general Victoriano Huerta lanzaba a los batallones maderistas contra los cañones y ametralladoras de que estaba erizada la fortaleza y los pobres maderistas caían como moscas rociadas con *flit*. Don Victoriano dejó que acabaran con el general Reyes y mandó matar a Madero y a Pino Suárez. Del general Félix Díaz no se ocupó, pues era más inofensivo que una mariposa. Enseguida eliminó a todos los contrarios, uno a uno. No cabe duda que fue un monstruo pero nada diferente de otros cuyas hazañas relata la Historia. De un modo semejante al de aquí, asesinaban a padres, hermanos o amigos para adueñarse del trono. Luego se hacían coronar por el Papa y de inmediato ordenaban a Leonardo da Vinci que les levantara una estatua ecuestre.

Hubo muchas señoras que mandaron asesinar al rey su marido, como si fuera guajolote para la cena, se sentaban en el trono y se rodeaban de favoritos, cuya vida pendía de un hilo. Victoriano Huerta no se hizo coronar por el Papa, pero tampoco mandó hacer una estatua ecuestre, lo cual hubiera sido una magnífica oportunidad para los escultores Fernández Urbina, Domínguez Bello o Nacho Asúnsolo. En vez de espada se le hubiera podido poner en la diestra una botella de *cognac*.

Si todos aquellos príncipes, emperadores, reyes y duques, después de asesinar a los parientes para usurpar el poder, tienen dedicadas estatuas ecuestres en plazas y calles que llevan su nombre, no sería difícil que tuviéramos una Avenida Victoriano Huerta. Por lo menos es eufónico. La historia hace unas rectificaciones verdaderamente sorprendentes y desconcertantes.

Para arbitrarse recursos, don Victoriano estableció garitos por toda la ciudad de México. Había más casas de juego que cantinas y pulquerías, una o dos en cada cuadra. Las había lujosas, para desplumar a los burgueses y otras que se podrían llamar proletarias, en donde dejaban la raya obreros y campesinos en albures hasta de a cinco centavos. En aquel entonces no había sindicatos ni juntas de Conciliación y Arbitraje, pues si los hubiera habido habría sido declarada la huelga contra las casas de juego hasta conseguir que quedaran en manos de los trabajadores.

Por la noche, la ciudad era algo fantástico. Los numerosísimos centros de juerga estaban atestados de oficiales del ejército huertista y de mujeres ligeras. Había capitanes de dieciocho años y coroneles de veinticinco.

El reclutamiento para el ejército del usurpador, se hacía por el procedimiento de la leva. A lo mejor, los trasnochadores se encontraban en una calle que había sido cerrada en un abrir y cerrar de ojos, en sus dos extremos, por la policía, y todos los varones eran secuestrados inmediatamente. Orozco se vio varias veces en trampas de ésas, pero lo soltaban en el acto por faltarle una mano. En otras ocasiones cerraban de improviso una cantina o cualquier otro centro semejante, y los hombres fuertes eran enviados a filas. En las grandes naciones guerreras se hace lo mismo exactamente, pero apuntan en un libro los nombres de los nuevos soldados.

Uno de los lugares más concurridos durante el huertismo fue el Teatro María Guerrero, conocido también por María Tepache, en las calles de Peralvillo. Eran los mejores días de los actores Beristáin y Acevedo, que crearon ese género único. El público era de lo más híbrido: lo más soez del peladaje se mezclaba con intelectuales y artistas, con oficiales del ejército y de la burocracia, personajes políticos y hasta secretarios de Estado. La concurrencia se portaba peor que en los toros; tomaba parte en la representación y se ponía al tú por tú con los actores y actrices, insultándose mutuamente y alternando los diálogos en tal forma que no había dos representaciones iguales a fuerza de improvisaciones. Desde la galería caían sobre el público de la luneta toda clase de proyectiles, incluyendo escupitajos, pulque o líquidos peores y, a veces, los borrachos mismos iban a dar con sus huesos sobre los concurrentes de abajo. Puede fácilmente imaginarse qué clase de obras se representaban entre actores y público. Las leperadas estallaban en el ambiente denso y nauseabundo y las escenas eran frecuentemente de lo más alarmante. Sin embargo, había mucho ingenio y caracterizaciones estupendas de Beristáin y de Acevedo, quienes creaban tipos de mariguanos, de presidiarios o de gendarmes maravillosamente. Las actrices eran todas antiquísimas y deformes.

Posteriormente, este género de teatro se degeneró (no es paradoja), se volvió político y propio para familias. Se hizo turístico. Fue introducido el coro de tehuanas con jícaras, charros negros y canciones sentimentales y cursis por cancioneros de Los Angeles y San Antonio Texas, cosas todas éstas verdaderamente insoportables y del peor gusto, pero caras a las familias decentes de las casas de apartamientos o de vecindad, como antes se llamaban. El castigo no se hizo esperar, todo acabó en el cine y en el horrible radio con sus locutores, magnavoces y necedades interminables.

No sabemos si esto fue el fin de la civilización burguesa, de que tanto se habla, o el principio de otra civilización.

"De vuelta al trabajo", 1923-27.

La Casa del Obrero Mundial

La revolución siguió su curso. Se levantaron contra Victoriano Huerta varios caudillos a la cabeza de veinte mil generales, éstos seguidos de muchos miles de soldados tras de los cuales iban sus mujeres y sus hijos, es decir, el pueblo en masa.

Los caudillos más prominentes fueron Carranza, Villa y Obregón, en el norte, y Zapata en el sur. Carranza quería mandarlos a todos. Villa no se dejó mandar y Zapata tampoco. Después se pelearon entre sí los cuatro caudillos, no sin antes aniquilar a Victoriano Huerta. Obregón acabó después con Villa en terríficas batallas. Los cañonazos eran espantosos e irresistibles. Zapata seguía invicto, aunque bien escondido en sus montañas.

Orozco supo que el Doctor Atl, habiendo combatido a Huerta por la prensa en Europa, había regresado a México disfrazado de italiano, sin la barba y hablando exclusivamente el idioma de Italia.

Durante las hostilidades entre Obregón y Villa, éste último venía con sus guerreros sobre la ciudad de México y Obregón se disponía a evacuar estratégicamente esta ciudad. Cortadas las comunicaciones, los metropolitanos se hallaban muertos de hambre, no había trabajo y reinaba la miseria. Entonces Obregón ordenó que se repartieran algunos centenares de miles de pesos en *bilimbiques* o sea billetes que salían de las prensas constitucionalistas con más rapidez que periódicos de las rotativas, pero que no tenían ninguna garantía en metálico. Cada general imprimía su propio dinero.

Fueron comisionadas varias personas para hacer el reparto, siendo Atl una de ellas, y él a su vez comisionó a sus antiguos compañeros, para ayudar en la tarea. El cuartel general de los pintores volvió a ser la Academia y de allí salieron una mañana llevando cada uno gruesos paquetes de *bilimbiques* de a diez y de a veinte pesos, recién salidos de la fábrica. Orozco tomó el rumbo de Coyoacán y se entretuvo por varias horas repartiendo dinero a la gente, que de pronto no se daban cuenta de lo que se trataba; creían que eran anuncios. Pero cuando vieron que era realmente dinero, se le echaron encima y al correr la voz del insólito suceso, cientos de personas acudían para exigir su parte. Entonces huyó hacia la plaza de Coyoacán a tomar un tranvía eléctrico. La gente también huía, pero era porque los zapatistas se acercaban por el Sur, rumbo a México. Alcanzó a abordar un tren que en esos momentos salía. El motorista abrió toda la llave de control y en pocos minutos recorrieron la distancia hasta la metrópoli, entrando en el Zócalo a gran velocidad. El Doctor Atl estaba entonces en plena actividad revolucionaria dentro de la esfera de influencia del general Obregón. Debiendo abandonar la ciudad de México en pocos días, hacía preparativos para la retirada hacia el estado de Veracruz.

Los obreros de la "Casa del Obrero Mundial" estaban indecisos y divididos con respecto al bando al cual se afiliarían, si al villista o al carrancista. Para decidirlo se habían reunido y después de una larga y tormentosa discusión se presentó el Doctor Atl y su elocuente discurso llevó a los obreros definitivamente del lado carrancista.

Se organizaron varios convoyes de ferrocarril y en ellos se fue la "Casa del Obrero Mundial" en masa hacia Orizaba.

En un tren de carga fue enviada a la misma ciudad la mayor parte de las máquinas, implementos y enseres de *El Imparcial,* y en otro tren se fueron a Orizaba el Doctor Atl, algunos pintores, sus amigos y sus familiares.

Al llegar a Orizaba, lo primero que se hizo fue asaltar y saquear los templos de la población. El de Los Dolores fue vaciado e instalaron en la nave dos prensas planas, varios linotipos y los aparatos del taller de grabado. Se trataba de editar un periódico revolucionario que se llamó *La Vanguardia* y en la casa cural del templo fue instalada la redacción.

El templo de El Carmen fue asaltado también y entregado a los obreros de "La Mundial" para que vivieran allí. Los santos, los confesionarios y los altares fueron hechos leña por las mujeres, para cocinar, y los ornamentos de los altares y de los sacerdotes se los llevaron también. Todos salieron decorados con rosarios medallas y escapularios.

En otro templo saqueado también fueron instaladas más prensas y más linotipos, para otro periódico que editaron los obreros. Estos fueron organizados en los primeros "batallones rojos" que hubo en México, los cuales se portaron brillantemente más tarde en acciones de guerra contra los villistas.

Mientras se armaban las prensas para *La Vanguardia,* Atl predicaba desde el púlpito los ideales de la Revolución constitucionalista y los mil y un proyectos que tenía él mismo para evolucionarlo todo: arte, ciencia, periodismo, literatura, etc.

La Vanguardia salió a luz en muy poco tiempo. El director era el Doctor Atl; jefe de redacción: Raziel Cabildo; taquígrafa: Elodia Ramírez; redactores: Juan Manuel Giffard, Manuel Becerra Acosta, Francisco Valladares, Luis Castillo Ledón, Rafael Aveleyra; dibujantes: Miguel Ángel Fernández y Romano Guillemín; grabador: Tostado; consejero de arquitectura: Francisco Centeno; caricaturista:

Clemente Orozco; dobladoras: las muchachas hijas de las familias de nuestro grupo, todas hermosas, destacándose muy especialmente Josefina Rafael, por su exquisita belleza. Alfaro Siqueiros y Francisco Valladares fueron enviados de *La Vanguardia* cerca del general Diéguez, que combatía al villismo en Jalisco.

La vida en Orizaba fue de lo más amena y divertida. Todos trabajaban con entusiasmo. La población estaba muy animada. Músicas por todas partes. A Luis Castillo Ledón se le veía ocupadísimo todas las mañanas, planchándose los bigotes, para mantenérselos a la káiser, y por las tardes escribiendo sus artículos. El Doctor Atl, armado de fusil y cananas, se iba a entrevistar a Obregón a los campos de batalla o a Veracruz a conseguir el dinero para todo el tinglado; o bien sostenía un enconado duelo político con el ingeniero Félix F. Palavicini y resolvía mil problemas aún teniendo tiempo sobrante para escribir editoriales, libros y hasta poemas, sin descuidar el enriquecimiento de una magnífica colección de mariposas de que era poseedor. Raziel Cabildo, asistido por Elodia Ramírez, organizaban el trabajo de la redacción; Manuel Becerra Acosta (a) Julio el Verde, ponía verde a Orizaba con sus sátiras; Fernández y Romano Guillemín hacían carteles a colores para anunciar *La Vanguardia*. Francisco Centeno escribía cartas amorosas que jamás llegaron a manos de la bella. Y Orozco pintaba carteles y rabiosas caricaturas anticlericales.

Todos vivían en una casa incautada que había sido convento y suficientemente grande, tanto para los que tenían famlia como para los solteros. Se le puso por nombre "La Manigua".

Sin embargo, la tragedia desgarraba todo a su alrededor. Tropas iban por las vías férreas al matadero. Los trenes eran volados. Se fusilaba en el atrio de la parroquia a infelices peones zapatistas que caían prisioneros de los carrancistas. Se acostumbraba la gente a la matanza, al egoísmo más despiadado, al hartazgo de los sentidos, a la animalidad pura y sin tapujos. Las poblaciones pequeñas eran asaltadas y se cometía toda clase de excesos. Los trenes que venían de los campos de batalla vaciaban en la estación de Orizaba su cargamento de heridos y de tropas cansadas, agotadas, hechas pedazos, sudorosas, deshilachadas.

En lo político, se daba otra guerra sin cuartel, otra lucha por el poder y la riqueza. Subdivisión al infinito de las facciones, deseos incontenibles de venganza. Intrigas subterráneas entre los amigos de hoy, enemigos mañana, dispuestos a exterminarse mutuamente llegada la hora.

Sainete, drama y barbarie. Bufones y enanos siguiendo a señores de horca y cuchillo en conferencia con sonrientes celestinas. Comandantes insolentes enardecidos por el alcohol, exigiéndolo todo pistola en mano.

Tiroteos en calles oscuras, por la noche, seguidos de alaridos, de blasfemias y de insultos imperdonables. Quebrazón de vidrieras, golpes secos, ayes de dolor, más balazos.

Un desfile de camillas con heridos envueltos en trapos sanguinolentos y de pronto el repicar salvaje de campanas y tronar de balazos. Tambores y cornetas tocando una diana ahogada por el griterío de la multitud dando vivas a Obregón. ¡Muera Villa! ¡Viva Carranza! "La Cucaracha" coreada a balazos. Se celebraban escandalosamente los triunfos de Trinidad y de Celaya, mientras los desgraciados peones zapatistas caídos prisioneros, eran abatidos por el pelotón carrancista en el atrio de la parroquia.

"Las Mujeres de los Soldados". Óleo sobre lienzo, 1924.

Su expulsión del Canadá

En 1917, no encontrando en México un ambiente favorable para los artistas y deseando conocer los Estados Unidos, resuelve Orozco salir con rumbo al país del norte. Hizo un paquete con las pinturas que le quedaban del estudio de Illescas, unas cien, y emprendió el viaje.

Al pasar por Laredo, Texas, fue detenido en la aduana americana y su equipaje fue inspeccionado. Las obras que llevaba fueron desparramadas por toda la oficina en una exposición oficial y examinadas cuidadosamente por los aduaneros. Después del examen fueron separadas y hechas pedazos unas sesenta. Se le dijo que una ley prohibía introducir a los Estados Unidos estampas inmorales. Las pinturas estaban muy lejos de serlo, no había nada procaz, ni siquiera desnudos, pero ellos quedaron en la creencia de que cumplían con su deber de impedir que se manchara la pureza y castidad de Norteamérica, o bien que ya había demasiada concupiscencia dentro para aumentarla con la de afuera. La sorpresa lo dejó mudo los primeros momentos, y después protestó con energía, aunque vanamente, y siguió su camino muy triste rumbo a San Francisco.

Al llegar a la magnífica ciudad recibió la hospitalidad de Joaquín Piña, el cual lo presentó con Fernando R.

Galván, y comenzó otro carnaval, pero esta vez a los acordes de la primera Guerra Mundial.

San Francisco estaba muy animado. Soldados y oficiales por doquier luciendo sus brillantes uniformes; marineros, enfermeras hermosísimas, hombres de negocios mofletudos haciendo fortunas colosales, muchachas chinas con sus pantalones bordados y su casaca típica.

La ciudad ya había renacido de sus cenizas después de aquel terremoto e incendio que la destruyó casi totalmente hacia 1906 ó 1907 y se levantaba orgullosa sobre una de las dos penínsulas que forman la "Puerta de Oro" y la bahía única, situación geográfica excepcional, paisaje de los más bellos del mundo, que sólo pueden describir plumas como las de Balzac o Maupassant o cualquier otro de los grandes escritores que interrumpen el relato de los hechos y cortan los diálogos para pintar con detalles y de manera magistral, los paisajes en donde se mueven los personajes. Descripciones muy largas que Orozco siempre se saltaba, ávido de seguir las peripecias de los héroes principales.

Se oía a todas horas aquella canción *Over There*. El aire estaba materialmente saturado de ella. Se respiraba, olía, penetraba la piedra de las fachadas y el asfalto de la calle. Se lo comía uno como los *hot cakes* y los *scrambled eggs*.

Por las calles iban hileras de marineros hercúleos y tatuados con las manos del uno puestas sobre los hombros del de adelante, bailando y cantando el *Over There*.

Por todas partes había grandes tiendas de campaña en cuyo interior estaba instalado un *buffet* digno de una embajada en días de recepción, atendido por damas de la alta sociedad. El *buffet* era para regalo de marineros y soldados cansados, a los cuales se ofrecían cómodos sillones y divanes, y tenían a su disposición periódicos y magazines, cigarros, tabaco, puros, cerillos, timbres para correo, tarjetas postales, bolería y otra infinidad de cosas necesarias.

El diablo de aquella época era el Káiser, enemigo número uno de la democracia y por dondequiera se veía su efigie con sus agresivos bigotes y su casco en punta. Grandes letreros expresaban el sentir general: *To Hell with the Kaiser* (Al diablo con el Káiser).

Pululaban en San Francisco los mexicanos, a tal grado que, con frecuencia, se oía en la calle puro español. A los mexicanos nativos de California se unían los exiliados, por lo general víctimas o descontentos del régimen carrancista o bien gentes de Sonora y Sinaloa que querían evitarse las molestias de la guerra civil.

Galván y Orozco hicieron amistad y resolvieron unirse para hacer algún negocio. Lo primero que se les ocurrió fue que Orozco produciría las pinturas y Galván las vendería. Le pidió las obras que llevaba y quedó decepcionado. Le dijo que carecían en lo absoluto de valor comercial; quedaron descartadas.

Para negocio y para vivir había necesidad de una casa y, buscando, encontraron en la calle Misión un galerón enorme de madera que había sido taller. Galván sabía algo de carpintería y con materiales baratos lo dividieron de tal manera que resultaron dos recámaras, baño, sala, comedor, cocina, oficina, estudio de pintura y taller de carpintería. El exterior lo pintaron de verde y con enormes letras amarillas, visibles a más de veinte kilómetros, anunciaron: FERNANDO R. GALVAN & COMPANY. La compañía era Orozco únicamente.

No tenían muebles ni dinero, pero en Norteamérica es posible conseguir cualquier cosa fiada a pagar en abonos con tal de tener teléfono, lo cual parece ser una garantía de primer orden. Pidieron el teléfono y tras de él vinieron buenos muebles, ropas de cama, máquina de escribir, caballete y abundantes materiales de pintura.

Galván se lanzó a la calle en busca de negocios y encontró uno muy bueno: hacer para dos cines carteles pintados a mano, para anunciar las películas; pero no había tal pintura a mano, sino un truco sencillísimo: pegar con engrudo sobre un cartón las mismas litografías a colores que daban de modelo y darles encima tres o cuatro brochazos al óleo. Luego ponerles marco. Orozco daba los brochazos y Galván hacía los marcos. Todo el trabajo se podía hacer en menos de una hora y con el producto vivir una semana.

Galván se iba entonces con sus amigos y Orozco a las playas, a los fantásticos bosques de árboles milenarios más viejos que la Era Cristiana y altos de cien a doscientos metros (esto según la propaganda del Departamento de Turismo); a la Universidad de Berkeley, a los barrios bohemios de San Francisco, llenos de cabarets, *dancings*, restaurantes italianos, *saloons* por el estilo de los que había durante la bonanza del oro en 1848, decorados con fotografías de los bandidos mexicanos más célebres de aquella época y que no eran otra cosa que los desposeídos de sus tierras; estudios de pintores y escultores y una muchedumbre alegre, ruidosa y adinerada que lo llenaba todo. El barrio chino con sus sedas, oropeles y misterios. Negritas muy guapas y bien plantadas en busca de admiradores y güeras robustas en busca de lo mismo.

Parranda, locura y por doquier el Káiser con sus cuernos, armonizando con sus bigotes, y metido en los infiernos *To Make the World Safe for Democracy*.

Admiraba los talleres de tatuaje donde los marineros son tatuados en rojo, azul y verde, de los pies al cuello, siendo las figuras preferidas una gran bandera americana con el águila, sobre la espalda, y el retrato de su amada sobre el pecho, dejando las figuras decorativas para la barriga, las piernas y los brazos. El marinero podía escoger entre gran número de modelos diferentes.

Había un restaurante llamado Coppa, todo decorado por los numerosos pintores de San Francisco. Los artistas arrancados podían cenar una o varias veces a cambio de una pintura hecha sobre las paredes. Felizmente no llegó a tener necesidad de pintarle nada a Coppa. Aún no era tiempo de pintura mural.

El arte de San Francisco era ciento por ciento académico. Ni a Nueva York llegaba todavía el arte moderno de la Escuela de París, conocido únicamente por una pequeña minoría selecta.

Cansado de San Francisco, resolvió irse a Nueva York. En el mismo momento de ir a tomar el tren para atravesar el continente, llegaba Woodrow Wilson en su gira de propaganda en favor de la Liga de las Naciones. Venía de pie en su automóvil, con el sombrero en la mano y sonriente. El pueblo guardaba profundo silencio en señal de inconformidad y de protesta. Se hacía evidente que la tal Liga era una farsa intolerable.

En las cataratas del Niágara, antes de llegar a Nueva York, pasó al lado canadiense para admirar la parte más bella de las caídas. Al cabo de dos horas, un policía notó algo sospechoso en su catadura y le pidió su pasaporte. Al ver que era mexicano, pegó un brinco y lo expulsó en el acto del Canadá, conduciéndole él mismo a la frontera americana. El Príncipe de Gales andaba de visita cabalmente por aquellos lugares y podía ser objeto de un atentado. Ese día publicaban los periódicos con enormes encabezados a tinta roja, la noticia amarillista de un asalto a un tren por los villistas en Sonora, en el cual habían sido violadas todas las mujeres. Mexicano y bandido eran sinónimos.

"El fraile y el indio". Litografía, 1926.

Choques y conflictos

Al llegar a Nueva York encontró a Siqueiros que se disponía a embarcarse rumbo a Europa en compañía de su esposa Graciela Amador.

Se reunieron con Juan Olaguíbel y recorrieron la Ciudad Imperial. Fueron por el *subway* a Brooklyn y discutieron acerca de los prodigios de la mecánica en relación con el arte, y para hacer más animada la velada tomaron cada uno diferente punto de vista con el objeto de que hubiera choque. No se recuerda cuál era la opinión de Orozco, pero el caso es que era contraria a las otras dos, opuestas entre sí. Si no hubiera conflictos no habría películas, ni toros, ni periodismo, ni política, ni lucha libre, ni nada. La vida sería muy aburrida. En cuanto alguien diga Sí, hay que contestar No. Debe hacerse todo a contrapelo y contra la corriente y si algún insensato propone alguna solución que allane las dificultades, precisa aplastarlo, cueste lo que cueste, porque la civilización misma correría peligro.

Después que se embarcó Siqueiros y que Olaguíbel se fue a hacer un retrato de Enrico Caruso, se dedicó a explorar Nueva York y encontró dos de los lugares más bonitos y divertidos: el barrio de Harlem, donde viven los negros y los hispanoamericanos, y Coney Island. Éste último es el nombre de la gigantesca playa en donde cabe un millón de bañistas. Los que hablan de grandes multitudes y de mítines de masas sin haber visto Coney Island un domingo en verano, no saben lo que dicen. El espacio disponible para cada persona es de medio metro cuadrado, tanto sobre la arena de la playa como en el agua. No es que no haya más playa ni más agua; es que así les gusta estar, todos juntos, pero no revueltos; cada quien con su mujer, sus hijos, sus amigos y sus perros.

Van desde muy temprano, se instalan sobre la arena, se tiran al sol y allí se quedan hasta bien entrada la noche. Es precisamente en la noche cuando pasan cosas grandes y maravillosas, pues todo Coney Island se ilumina con las luces de colores de los fuegos artificiales.

A lo largo de la playa estaba instalada la gran feria típica americana, con un sinfín de atracciones que no hay necesidad de describir, por ser tan conocidas de chicos y grandes. Pero lo que sí debe mencionarse era la mujer con barbas, la mujer más gorda del mundo, el hombre mono, el de dos cabezas, los enanos, el hombre o la mitad hombre mitad mujer, y otros varios adefesios. Después descubrió que había una casa que alquilaba cuantas mujeres más gordas del mundo se necesitaban para todas las ferias de los Estados Unidos, lo mismo que mujeres barbadas, en abundancia. Los enanos eran morralla que alquilaban por docena. Tenían hasta catálogo ilustrado para información de los empresarios. Esto no tenía nada de particular, pues el Museo de Arte Moderno de Nueva York alquilaba también, para exhibiciones, lotes de pintura cubista, surrealista, dadaísta, mexicana o combinaciones especiales de Picasso-Braque, Picasso-Rouault, Picasso-Matisse, Picasso-Chirico, a escoger, y a tanto la semana de exhibición para cualquier club, universidad o *cocktail-party* donde se quería dar pisto con el arte moderno.

También las incubadoras para niños eran cosa de verse. No se trataba de algo parecido a lo de las gallinas, sino de niños nacidos antes de tiempo o muy raquíticos que eran colocados en aparatos especiales con clima artificial. Los nenes estaban contentísimos, risa y risa dentro de la incubadora.

Luego venían los tatuajes para marineros, lo mismo que en San Francisco, pero con más variedad.

Aquí tatuaban grandes barcos de tres palos a toda vela sobre el amplio pecho del marinero, y más abajo del ombligo una sirena recostada sobre un ancla. En el brazo, una hawaiana con su falda de fibra, y al mover el brazo bailaba el *hula-hula* con movimientos ondulantes de caderas, y en el otro brazo o en las piernas los retratos de las *babies* o amigas que habían hecho sucesivamente feliz al marinero en cada uno de los puertos que había tocado el barco. Otros preferían un gran retrato de Washington o de Lincoln con su correspondiente bandera y águila.

Más adelante se encontraba las pulgas vestidas del *Flea Circus* o Circo de Pulgas. Las artistas trabajan muy seriamente haciendo suertes muy variadas. Hacían columpio, sube y baja, volantín, trapecio y cuerda floja. Tiraban por parejas de carritos minúsculos de papel, en donde iban muy arrellanadas las pulgas más gordas y aristocráticas, ricamente vestidas de reinas y princesas. A los lados del coche iban otras pulgas vestidas de pajes, palafreneros y lacayos con sombrero, y atrás un largo séquito de nobles y dignatarios de la corte. Esto probaba que hasta entre las pulgas hay clases sociales y que eso podía provocar la guerra entre ellas, pues algún día se acordarían de que tenían sangre roja en las venas (la que habían chupado) y decapitarían a las pulgas gordas que iban en el carrito.

Doscientas cincuenta mil divisiones de pulgas-infantería, apoyadas por chinches-tanques de cuarenta toneladas, hacían un colosal movimiento de pinzas sobre las posiciones ocupadas por el enemigo, previamente ablandado por oleadas de mosquitos-aviones. Devastación y muerte. Combates cuerpo a cuerpo. Cargas a la bayoneta. Montones de cadáveres. Chocaban los aviones contra los tanques con horrísono estruendo y la sangre corría a raudales mientras los atacantes cerraban las pinzas y los espectadores del *Flea Circus* se rascaban a cuatro manos.

En 1922 comenzó la época de pintura mural en México. Pero antes de hablar de ésta es necesario examinar las ideas que prevalecían en el momento de comenzar la nueva etapa pictórica. Mencionaremos primero el infantilismo.

Las primitivas escuelas impresionistas que funcionaban habían experimentado una transformación radical. Ya no se trataba solamente de imitar a los impresionistas franceses; de pintar en los campos la luz del sol y al sol mismo, el ambiente y la hora, llegando a olvidarse de los objetos para captar sus vacilantes reflejos en el agua. Apareció la idea democrática, una especie de cristianismo artístico bastante raro y un principio de nacionalismo. También los discípulos eran muy diferentes. En vez del estudiante de arte llegó toda clase de gente, desde escolares y boleros hasta empleados, señoritas, obreros y campesinos, lo mismo chicos que grandes. No había preparación ninguna. De buenas a primeras se les ponía en las manos colores, telas y pinceles, y se les pedía que pintaran como quisieran lo que tenían enfrente: paisajes, frutas, figuras u objetos. El resultado era sencillamente maravilloso, estupendo, genial. No había adjetivos suficientemente elocuentes para calificar las obras. El conocimiento previo de la geometría, de la perspectiva, de la anatomía, la teoría del color, de la historia, eran cosa académica y un estorbo para la libre expresión del genio de la raza, sin precisar de cuál. El profesor no tenía nada qué enseñar a los discípulos; al contrario, eran éstos los que iban a enseñarle al profesor. El candor y la inocencia de los niños y de la gente sencilla del pueblo eran algo sagrado que no había que echar a perder con observaciones técnicas y sólo debería estimularse al discípulo con una letanía de alabanzas y exclamaciones de asombro, lo mismo que olés coreando un faenón de Armillita. El mérito de las obras era mayor todavía, si el muchacho era un analfabeto, pues su alma estaría virgen, impoluta, libre de toda contaminación y de todo prejuicio. Por poco que razonara arruinaría su obra, pues ya no sería espontánea e inocente. ¡Bienaventurados los ignorantes y los imbéciles, pues de ellos es la gloria suprema del arte! ¡Bienaventurados los idiotas y los cretinos, porque de su mano saldrán las obras maestras de la pintura!

Sólo faltó volver a hacer el experimento del burro pintor. Era un burro cualquiera al que se puso en condiciones de pintar. ¿Cómo? Muy sencillo: se le puso al alcance de la cola una paleta bien provista de colores brillantes y una tela en blanco. Al mover la cola el burro, los colores iban a dar a la tela, la cual quedó toda embadurnada. Luego se llevó el cuadro a París a un salón de arte moderno sin decir quién había pintado el cuadro y los críticos se hicieron lenguas sobre la audacia de la técnica, sobre la brillantez del colorido, la maestría de la ejecución; hicieron consideraciones filosóficas y teológicas, citaron a Platón y proclamaron que se iniciaba una revolución artística.

Los cuadros de las escuelas al aire libre realmente fueron llevados a París. A la exposición fueron invitados los prohombres del arte y de la crítica los cuales quedaron asombrados y proclamaron al prodigio mexicano el pasmo de los siglos. Hubiera sido muy interesante que en el Conservatorio Nacional de Música, hubieran llegado a conclusiones semejantes y que suprimiendo toda enseñanza musical, todo entrenamiento y toda técnica, hubieran salido a la calle en busca de cualquier gente, así fueran sordos o niños de pecho, vendedores de tacos, billeteros o camioneros, y sentándolos al piano o dándoles un violín esperaran de ellos música como la de Beethoven.

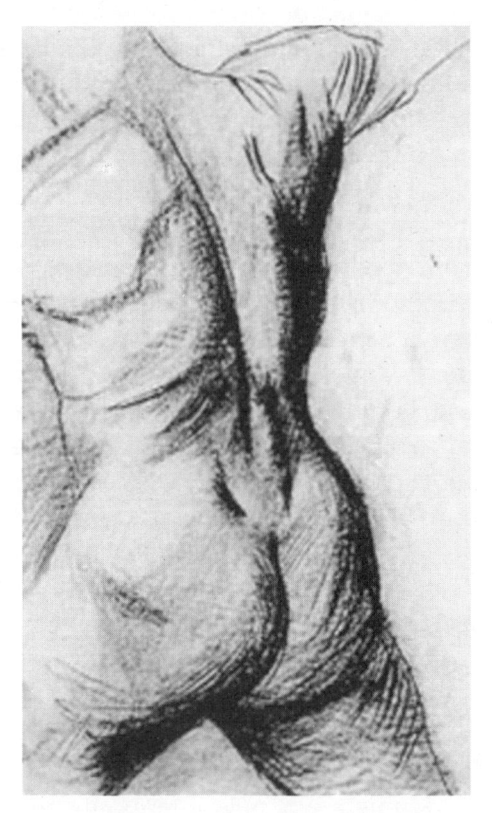

“Torso”. Estudio. Carbón sobre papel, 1930.

Primeros ensayos

La pintura mural se encontró en 1922 con la mesa puesta. La idea misma de pintar muros y todas las ideas que iban a constituir la nueva etapa artística, las que le iban a dar vida, ya existían en México y se desarrollaron y definieron de 1900 a 1920, o sea veinte años. Por supuesto que tales ideas tuvieron su origen en los siglos anteriores, pero adquirieron su forma definitiva durante esas dos décadas. Todos sabemos en demasía que ningún hecho histórico aparece aislado y sin motivo.

Puede hacerse un resumen de lo que se pensaba en México en 1920, en lo que se refiere al arte.

Eran los días en que se llegó a creer que cualquiera podía pintar y que el mérito de las obras sería mayor mientras mayores fueran la ignorancia y estupidez de los autores.

Muchos creyeron que el arte precortesiano era la verdadera tradición que nos correspondía y llegó a hablarse del "renacimiento del arte indígena".

Llegaba a su máximo el furor por la plástica del indígena actual. Fue cuando empezó a inundarse México de petates, ollas, huaraches, danzantes de Chalma, zarapes, rebozos y se iniciaba la exportación en gran escala de todo esto. Comenzaba el auge turístico de Cuernavaca y Taxco.

El arte popular, en todas sus variedades, aparecía ya con abundancia en la pintura, la escultura, el teatro, la música y la literatura.

El nacionalismo agudo hacía su aparición. Ya los artistas mexicanos se consideraban iguales o superiores a los extranjeros. Los temas de las obras tenían que ser necesariamente mexicanos.

Se hacía más claro el obrerismo, el arte al servicio de los trabajadores. Se pensaba que el arte debía de ser esencialmente un arma de lucha en los conflictos sociales.

Ya había hecho escuela la actitud del Doctor Atl, interviniendo directa y activamente en la política militante.

Los artistas se apasionaban por la sociología y la historia.

Es interesante señalar el hecho de que también la música había llegado a conclusiones semejantes en la misma época. En 1913 Manuel M. Ponce descubría, antes que nadie, el valor y el significado de la música popular, y en un concierto que dio en la sala Wagner con canciones como *Estrellita*, fue siseado y censurado por tomar en serio lo que se tenía hasta entonces por cosa insignificante.

Todas estas ideas fueron materializándose y transformándose en la pintura mural, pero no de buenas a primeras porque era necesario, antes que nada, una técnica, que no era conocida por ninguno de los pintores. Por tanto, hubo un periodo de preparación durante el cual se hicieron muchos ensayos y tanteos, siendo las obras puramente decorativas y con alusiones muy tímidas a la historia, a la filosofía o a otros temas diversos. Una vez que los artistas fueron dueños de su técnica, la usaron ampliamente para expresarse y siendo un grupo organizado aprendieron unos de otros sus hallazgos.

Más adelante, algunos llegaron a apasionarse de tal manera por el tema mismo de sus pinturas, que se salieron totalmente del campo del arte y se lanzaron en actividades que ya no tenían relación alguna con su oficio.

Lo que diferencia al grupo de pintores murales de cualquier otro grupo semejante, es su capacidad crítica. Por la preparación que la mayor parte de ellos tenía, estaban en la posibilidad de ver con bastante claridad el problema del momento y de saber cuál era el camino que había que seguir. Se daban cuenta perfecta del momento histórico en que les correspondía actuar, de las relaciones de su arte con el mundo y la sociedad presentes. Por una feliz coincidencia se reunían en el mismo campo de acción un grupo de artistas experimentados y gobernantes revolucionarios que comprendieron cuál era la parte que les correspondía. El primero de ellos fue don José Vasconcelos.

En 1922 ya estaba organizada la flamante Secretaría de Educación Pública. Su edificio estaba por ser terminado y por todas partes se levantaban nuevas escuelas, estadios y bibliotecas. Del Departamento Editorial, creación también de Vasconcelos, salían copiosas ediciones de los clásicos, que eran vendidas a menos del costo para beneficio del pueblo. Fueron llamados todos los artistas y los intelectuales a colaborar, y los pintores se encontraron con una oportunidad que no se les había presentado en siglos. Rivera volvió de Europa. Siqueiros fue llamado de Roma por Vasconcelos y los dos artistas se reunieron con sus compañeros residentes en México y a ellos se unió Jean Charlot, pintor francés recién llegado a este país a los veintitrés años de edad y que había sido oficial del ejército de su patria. Los pintores que habían estado en Europa traían de allá su experiencia y sus conocimientos especiales de la Escuela de París, muy útiles y necesarios para relacionar el arte de México con el europeo. Jean Charlot fue muy servicial en este punto, pues era pintor exclusivamente europeo y por añadidura francés y joven en extremo. Es decir, que representaba la sensibilidad europea más moderna y más libre de prejuicios. Por regla general, con brillantísimas excepciones, los profesores de estética que los visitan eran viejos fósiles que se habían quedado parados en alguna época del siglo XVIII ó XIX, y que creían que el arte sólo podía existir en París, heredero de Roma, interpretando torcidamente lo de que París era el cerebro del mundo, mirándolo todo con la lupa o lente de su erudición de biblioteca anticuada. Ya no podían entender lo que pasaba ahora en el mundo. Charlot, con su ecuanimidad y su cultura, atemperó muchas veces sus exabruptos juveniles y con su visión clara iluminó frecuentemente sus problemas. Iban con él a visitar el salón del Museo de Arqueología, donde se exhibían las grandes esculturas aztecas, las cuales lo impresionaron profundamente y hablaban por largas horas acerca de aquel arte tremendo que llegó hasta ellos y los sobrepasó, proyectándolos más allá de su presente. El arte precortesiano influenció a Charlot de tal manera que su pintura estaba saturada de él. Los medios técnicos y estéticos de que disponían los pintores murales en 1922 podían clasificarse en dos grupos. Primero, los que procedían de Italia y, segundo, los que procedían de París. Ni uno solo de los pintores de entonces habían intentado siquiera pintar a la manera de los mayas, los toltecas, los chinos o los polinesios. O era pintura que venía del Mediterráneo o de las maneras y modas del París que fue hasta antes de esta guerra totalitaria. Todas esas escuelas o maneras no eran necesariamente francesas, por supuesto. París era una especie de bolsa de valores artísticos de toda Europa y, sobre todo, un mercado. Fueron los comerciantes los que en buena parte contribuyeron al desarrollo y expansión de la llamada "Escuela de París", formada con aportaciones del mundo entero, hasta mexicanas, como lo atestiguaba el aduanero Rousseau, que había sido soldado del ejército invasor de Bazaine en suelo mexicano.

La pintura mural se inició bajo muy buenos auspicios. Hasta los errores que cometió fueron útiles. Rompió la rutina en que había caído la pintura. Acabó con muchos prejuicios y sirvió para ver los problemas sociales desde nuevos puntos de vista. Liquidó toda una época de bohemia embrutecedora, de mistificadores que vivían una vida de zánganos en su torre de marfil, infecto tugurio, alcoholizados, con una guitarra en los brazos y fingiendo un idealismo absurdo, mendigos de una sociedad ya muy podrida y próxima a desaparecer.

Los pintores y los escultores ahora serían hombres de acción, fuertes, sanos e instruidos; dispuestos a trabajar como un buen obrero ocho o diez horas diarias. Se fueron a meter a los talleres, a las universidades, a los cuarteles, a las escuelas, ávidos de saberlo y entenderlo todo y de ocupar cuanto antes su puesto en la creación de un mundo nuevo. Vistieron overol y treparon a sus andamios.

"Prometeo". Fresco, 1930.

La socialización del arte

Una de las manifestaciones más singulares de las aptitudes críticas de los pintores fue la constitución de su Sindicato de Pintores y Escultores, cuyas ideas quedaron condensadas en un Manifiesto extraordinariamente importante, y de las cuales se derivó la influencia que se hizo sentir por dos décadas y que fue combatida vanamente por los pintores más jóvenes.

El sindicato en sí mismo no tenía ninguna importancia, pues no era una agrupación de obreros que tuviera que defenderse de un patrón, pero el nombre sirvió de bandera a las ideas que venían gestándose, basadas en las teorías socialistas contemporáneas, de las cuales los más enterados eran Siqueiros, Rivera y Xavier Guerrero.

Siqueiros redactó, y todos aceptaron y firmaron, un Manifiesto del sindicato dirigido a "los soldados, obreros, campesinos e intelectuales que no estuvieran al servicio de la burguesía".

Contenía, en resumen, las siguientes proposiciones:

Socializar el arte.

Destruir el individualismo burgués.

Repudiar la pintura de caballete y cualquier otro arte salido de los círculos ultraintelectuales y aristocráticos.

Producir solamente obras monumentales que fueran del dominio público.

Siendo este momento histórico de transición de un orden decrépito a uno nuevo, materializar un arte valioso para el pueblo en lugar de ser una expresión de placer individual.

Producir belleza que sugiera la lucha e impulse a ella.

Posteriormente estas proposiciones fueron muy modificadas en su forma, pero no en su significado fundamental.

Siqueiros había tomado contacto con las ideas radicales en Europa. Siendo *attaché* militar de la representación diplomática mexicana en Barcelona, pronunció un discurso subversivo en los funerales de un anarquista mexicano llamado Del Toro, asesinado por la policía. Fue expulsado y vivió luego en Argenteuil, Francia, donde asistió a los mítines de obreros comunistas. Allí fue donde absorbió las ideas del Manifiesto, y cuando vino a México, en 1921, llamado por Vasconcelos, ya traía todo un plan de arte revolucionario que fue el mismo que les propuso.

Desde luego, la socialización del arte era una promesa a muy largo plazo, pues no podía ser posible mientras no cambiara radicalmente la estructura de la sociedad. Además, había que definir con exactitud el significado de la palabra socializar en relación con el arte, pues siempre había habido muchas y muy diferentes interpretaciones.

El repudio de la pintura de caballete no tuvo lugar en modo alguno. Se vio que no era razonable, pues tal pintura no era cosa opuesta a la pintura mural, sino diferente y tan útil como la otra para el pueblo y los trabajadores. Se la llamó entonces "pintura movible"; pero era la misma de caballete. Más todavía, no sólo los cuadros sino hasta los grabados pequeños fueron considerados como muy necesarios para proveer a cada hogar obrero con una obra de arte. Se vio también que no todos los pintores tenían aptitudes para la pintura mural, por ser su talento aplicable más bien al cuadro pequeño.

Condenar la pintura de caballete por aristocrática era condenar una buena parte del arte de todos los tiempos. Los Rembrandt, los Tiziano, los El Greco, tendrían que ser quemados. Por este camino se llegó al llamado "arte proletario", hijo legítimo del "Manifiesto del Sindicato de Pintores y Escultores". El arte proletario consistía en pinturas que representaban obreros trabajando y que se suponían destinadas a los obreros. Pero eso fue un error, porque a un obrero que ha trabajado ocho horas en el taller no le resultaba agradable volver a encontrar en su casa obreros trabajando, sino algo diferente que no tenga que ver con el trabajo y que le sirviera de descanso. Pero lo más gracioso fue que el arte proletario fue comprado a muy buenos precios por los burgueses, contra los cuales se suponía que iba dirigido, y los proletarios hubieran comprado con todo gusto el arte burgués si tuvieran dinero para ello y al no tenerlo se deleitarían surtiéndose de cromos de calendario que representaban doncellas aristocráticas indolentemente reclinadas en pieles de oso o un caballero elegantísimo besando a la marquesa a la luz de la luna en la terraza del castillo. Las salas de las casas burguesas estarían llenas de muebles y objetos proletarios como petates, sillas de tule, ollas de barro y candeleros de hojalata; mientras que un obrero, en cuanto tuviera suficiente dinero para amueblar su casa, se compraría un *pullman* forrado con gruesos terciopelos, un *breakfast* o desayunador o un juego de esos muebles rarísimos construidos con tubo de fierro niquelado, gruesos cristales y espejos biselados.

Las fábricas de calzado de León y Guadalajara producirían enormes cantidades de huaraches para la burguesía de los Estados Unidos y las proletarias se morirían por los zapatos de tacón alto y las medias de seda.

La avenida Madero y la avenida Juárez estarían llenas de tiendas con objetos proletarios. Para comprar telas de seda habría que ir a la Lagunilla.

La verdad es que no siempre el buen gusto es innato ni patrimonio exclusivo de determinada raza o clase social. Sólo la educación puede crearlo, orientarlo o depurarlo.

En la época del indigenismo agudo se identificó al indio con el proletario sin tener en cuenta que no todos los indios son proletarios ni todos los proletarios indios, y entonces vinieron los cuadros indoproletarios, también hijos del Manifiesto del sindicato. Todos estos cuadros fueron a dar a los Estados Unidos a manos de gente de raza blanca. Ni los indios de aquí ni los de allá tuvieron nunca la menor noticia de la existencia de tales cuadros en que se exaltaba a su raza. En Norteamérica llegó a creerse que los pintores mexicanos eran tremendamente populares entre las masas indígenas como pudiera serlo Zapata, y aun el mismo Zapata podía ser absolutamente desconocido entre los indígenas de Durango o Quintana Roo.

El Manifiesto prometía también pintura de combate para incitar a los oprimidos a la lucha por su liberación. Este punto fue demasiado oscuro para saber de un modo preciso lo que significaba. ¿Cuándo una pintura o una escultura era capaz realmente de provocar en el que la contemplaba procesos mentales que se traducían en acciones revolucionarias? ¿Cuándo era realmente subversiva? Es verdad que la Iglesia católica había usado las artes en general y muy especialmente las plásticas para avivar la fe y la devoción. El creyente reacciona siempre a la vista de un Crucificado o de una Dolorosa; pero es el caso que en los templos protestantes y en las mezquitas no hay imágenes y también se nota el mismo avivamiento.

En caso de haber una influencia revolucionaria decisiva de las artes sobre el espectador, debía estar condicionada por circunstancias todavía desconocidas y otras puramente ocasionales. No es lo mismo oír *La Internacional* o el Himno Patrio cantado por veinte mil gentes en una plaza pública mientras las banderas ondean al sol, repican las campanas y las sirenas aturden, que oírla en casa, a solas, saliendo del tocadiscos.

Había que tener en cuenta también que lo ridículo está separado de lo sublime por sólo una línea y muchas obras en lugar de arrancar un grito de indignación o de entusiasmo pueden provocar solamente una carcajada.

El Manifiesto le daba mucha importancia al contenido de la obra de arte, es decir, a la suma de ideas y emociones expresadas por la misma. Esto producía también confusión, pues éste era el camino hacia la pintura puramente ilustrativa, descriptiva, hasta llegar al documento fotográfico impersonal, bien hacia la pintura literaria que descuida la forma para declamar o contar anécdotas, la pintura anecdótica.

En cuanto a terminar con el "individualismo burgués", Siqueiros y Xavier Guerrero idearon los equipos o grupos de pintores que trabajaban de común acuerdo en una sola obra, repartiéndose el trabajo según sus aptitudes y siguiendo un plan preconcebido.

Ya desde antes de los equipos se había convenido en que ninguno de los miembros del sindicato firmaría sus obras murales, suponiéndolas producto del maestro y los ayudantes y sometidas a la crítica de todos los pintores. Esta idea fracasó, pues ninguno quiso sostener lo convenido.

Más tarde, los equipos funcionaron realmente, pero no lo necesario para saber a ciencia cierta qué resultados podían dar. Es posible que en determinados casos fuera indispensable el trabajo colectivo en una sola obra de pintura o de escultura. El resultado sería muy diferente al producido por el trabajo individual. Pero éste último no podía desaparecer del todo, como parecía pretenderlo el Manifiesto.

Otra interpretación de la misma idea es que el artista hiciera sus obras teniendo en cuenta a la colectividad o sociedad de que formaba parte y no para dar gusto solamente a uno o varios individuos.

Pero aquí también había confusión. El arte interesa a todos y desgraciadamente también el no arte interesa por igual y a veces más. El mundo está a reventar de vulgaridades, conocidas y gustadas por millones de personas en todos los países de la tierra. Las peores películas son las que duran más en la pantalla.

El problema puede plantearse en otra forma: era el artista el que creaba una obra que iba a ser impuesta a la colectividad "por la razón o la fuerza", como dirían los chilenos, o era la colectividad la que tenía que imponer al artista su gusto y sus preferencias. Había que saber primero de cuál colectividad se trataba, de cuál clase social, de cuál raza, de cuál edad, de cuál grado de educación. También era interesante saber si es la colectividad misma la que iba a imponer su gusto al artista o lo haría por medio de representantes y entonces se complicarían las cosas, porque, ¿quiénes serían los representantes de la colectividad y cómo podrían interpretar fielmente los gustos de sus representados? Antes que nada, habría que averiguar si las colectividades tenían realmente un gusto ya formado. Desde luego, sí lo tenían: a la mayoría les gustaba mucho el azúcar, la miel y el caramelo. El arte diabético. A mayor cantidad de azúcar, mayor éxito... comercial.

La Historia de México

Uno de los temas que más había preocupado a los pintores murales fue la Historia de México. Unos se habían afiliado a alguna de las facciones de historiadores y otros habían opinado independientemente, pero todos se habían vuelto expertos opinadores y comentadores de mucha fuerza y penetración. Era realmente admirable. La discrepancia que era evidente en las pinturas era reflejo de la anarquía y confusión de los estudios históricos, causa o efecto de que la personalidad no estuviera todavía bien definida en la conciencia, aunque lo estuviera perfectamente en el terreno de los hechos.

Orozco en su autobiografía nos dice:

"No se sabía aún quiénes eramos, como los enfermos de amnesia. Siempre nos hemos clasificado continuamente en indios, criollos y mestizos, atendiendo sólo a la mezcla de sangres, como si se tratara de caballos de carrera, y de esa clasificación han surgido partidos saturados de odio que se hacen una guerra a muerte, indigenistas e hispanistas.

"Toda la Historia de México parece estar escrita exclusivamente desde el punto de vista racial. La discusión se reduce, en apariencia, a proclamar e imponer la superioridad de una de las dos razas, y lo peor es que no es una discusión doméstica, porque plumas extranjeras han intervenido y siguen interviniendo en la confección de nuestra historia, con muy aviesos fines. El trabajo de nuestros historiadores parece un encuentro de pugilato entre indianistas e hispanistas, siendo el *referee* extranjero.

"La teoría de que México es necesariamente indígena, español o mestizo es una base falsa para definir nuestra personalidad. Lo español no es una sola raza, sino muchas y muy diversas. España fue formada por iberos, celtas, romanos, griegos, fenicios, hebreos, árabes, godos, beréberes, gitanos y cada uno de esos grupos estaba a su vez muy mezclado. ¿De cuál raza han sido los españoles y los portugueses que han venido a las Américas en cuatrocientos años?

"En los tiempos modernos se han sumado a las poblaciones de España, Portugal, y de la América Hispana, otras razas, mejor dicho, todas las razas del mundo en cantidades muy considerables. Tampoco los indígenas de las Américas parecen ser de una sola raza, a juzgar por su diversidad de tipo, costumbres, lenguaje y grado de cultura a que llegaron por sí mismos.

"Las consecuencias de la tesis o teoría racial, con exclusión de cualquiera otra, son muy graves. El antagonismo de razas está exacerbado. La Conquista de México por Hernán Cortés y sus huestes parece que fue ayer. Tiene más actualidad, en cualquier momento, que los desaguisados de Pancho Villa. No parece que hayan sido a principios del siglo XVI, el asalto al gran Teocalli y la Noche Triste y la destrucción de Tenochtitlán, sino el año pasado, ayer mismo. Se habla de ello con el mismo encono con que pudo haberse hablado del mismo tema en tiempos de don Antonio de Mendoza. Este antagonismo es fatal porque todas las razas son orgullosas en extremo. Ninguna admite la derrota y la sumisión definitiva. Reconocen haber perdido una batalla, pero esperan la revancha, que puede tardar, pero vendrá sin remedio algún día en que los vencidos de ayer serán los vencedores. Esta es, precisamente, la lepra de las guerras de independencia, lepra extranjera, mueras a los españoles. Bolívar les prometía la fuerza, fueran culpables o inocentes. Era un odiador profesional, encomendero del otro bando. Más tarde, reconoció que había arado en el agua.

"Para lograr la unidad, la paz y el progreso bastaría, tal vez, con acabar para siempre con la cuestión racial. Ya no volver a hablar nunca de indios, españoles y mestizos. Relegar a los estudios puramente especulativos lo referente a la Conquista y volver a colocar ésta en el lugar que le corresponde, y que no es otro que el siglo XVI. Tratar al indio, no como indio, sino como hombre, igual a los demás hombres, como trataríamos a los andaluces y a los vascos. Si hay un Departamento de Asuntos Indígenas, ¿por qué no uno de Asuntos Mestizos o Criollos? El de Asuntos Indígenas suena a Departamento de pobres diablos, Departamento de infelices menores de edad que jamás pueden hacer nada por sí mismos y que necesitan que gente de otras razas piense por ellos, y los provea graciosamente de cuanto les hace falta con el pretexto de los tres siglos de explotación colonial, magnífico truco para la holganza con el lema de *hay que darle la razón al indio aunque no la tenga,* como a los locos del manicomio se les da por su lado para que no se enfurezcan, aunque los indios no tengan nada de loco.

"Un departamento de viciosos o de enfermos sería menos humillante. Las razas indígenas no serían otra cosa que un sumando más en el total de razas que forman lo hispánico, en la misma categoría y derecho que cualquiera de ellas. Ya no habría por qué hablar del león y sus cachorros, o de la madre y sus hijos. Todos seríamos el león y todos la madre España, de Cataluña al Perú y de Chihuahua a la Patagonia. La metrópoli podría ser cualquier lugar del mundo en donde gente hispánica viva su vida, piense lo que piense, ame lo que ame.

"Pero este panorama tan bonito será estropeado por los indigenistas. Según ellos, la Conquista no debió haber sido como fue. En lugar de mandar capitanes crueles y ambiciosos, España debió de haber enviado numerosa delegación de etnólogos, antropólogos, arqueólogos, ingenieros civiles, cirujanos dentistas, veterinarios, médicos, maestros rurales, agrónomos, enfermeras de la Cruz Roja, filósofos, filólogos, biólogos, críticos de arte, pintores murales, eruditos en historia. Al llegar a Veracruz, desembarcar de las carabelas carros alegóricos enflorados y en uno de ellos Cortés y sus capitanes llevando sendas canastillas de azucenas y gran cantidad de flores, confeti y serpentinas para el camino a Tlaxcala y la gran Tenochtitlán, y después de rendir pleito homenaje al poderoso Moctezuma, establecer laboratorios de bacteriología, urología, rayos X, luz ultravioleta, un Departamento de Asistencia Pública, universidades, *kindergardens*, bibliotecas y bancos refaccionarios. En lugar de aceptar los españoles los frecuentes regalos que les hacían de doncellas aztecas y toltecas, debían de haber traído mozas guapas de Andalucía y Galicia para obsequiárselas a Moctezuma y a Cuauhtémoc. Poner a Alvarado, a Ordaz, a Sandoval y demás varones fuertes, de gendarmes, a cuidar las ruinas para que no se perdiera nada del tremendo arte precortesiano. Aprender ellos mismos los setecientos ochenta y dos idiomas diferentes que se hablaban aquí. Respetar la religión indígena y dejar en su lugar a Huitzilopochtli. Repartir gratis semillas, maquinaria agrícola y ganado. Construir y regalarles casas a los campesinos. Organizar los ejidos y las cooperativas. Hacer caminos y puentes. Enseñarles nuevas industrias y deportes, todo con muy buen modo, suave y cariñosamente. Impulsar los sacrificios humanos y fundar una gran casa empacadora de carne humana con departamento de engorda y maquinaria moderna para refrigerar y enlatar. Sugerirle muy respetuosamente al gran Moctezuma que estableciera la democracia en el pueblo, pero conservando los privilegios de la aristocracia para darles gusto a todos.

"De esta manera se habrían ahorrado los tres siglos de la aborrecida Colonia y estaría en pie todavía el gran Teocalli, bien desinfectado para que la sangre de los sacrificados no se pudriera y poder hacer morcilla fresca con la misma, en una fábrica que ocupara el sitio que malamente ocupa el Monte de Piedad.

"Tan bonito que hubiera sido que al banquete monstruo con que el Periódico de la Vida Nacional celebró sus bodas de plata, hubieran llegado todos con taparrabo, plumas y macana, y la algarabía que no dejaba oír a los oradores fuera una mezcolanza de los mil trescientos veinte idiomas indígenas. Claro que *Excélsior* estaría escrito en chichimeca".

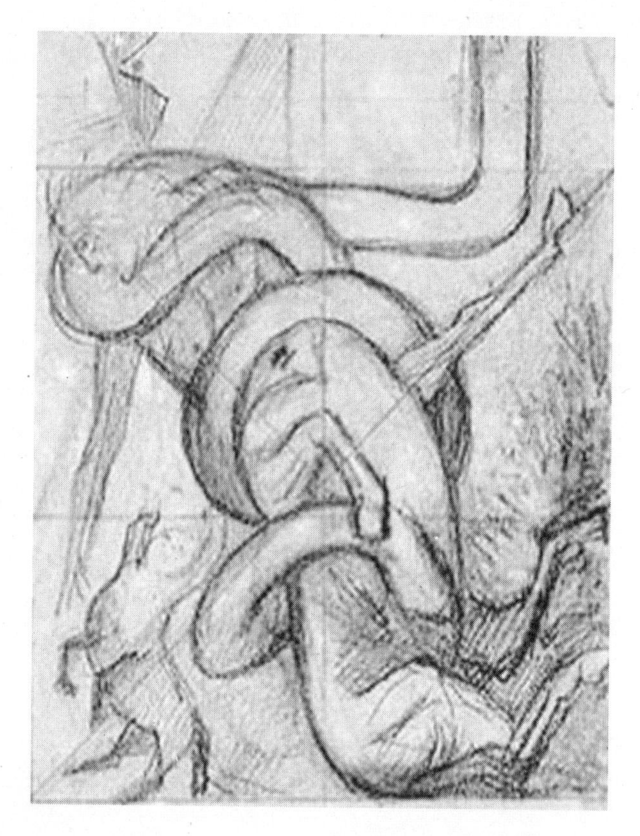

"Centauro en agonía". Carbón sobre papel, 1930.

Vandalismo y pintura de pulquería

Después de lanzar su Manifiesto, el Sindicato de Pintores y Escultores resolvió editar un periódico semanario que fuera su órgano. Siqueiros fue el encargado de atender directamente a la edición. Se le puso por nombre *El Machete*. Pero tal empresa no hubiera sido posible sin la colaboración e insustituible ayuda de Graciela Amador. Él daba las ideas generales de la política del periódico, de acuerdo con los miembros del sindicato, pero ella redactaba la mayor parte de los artículos y componía los magníficos corridos, que llegaron a ser la sustancia más importante de la publicación.

Las ilustraciones fueron aportadas por los pintores, especialmente por el mismo Siqueiros, Xavier Guerrero y Clemente Orozco. Eran grabados en madera o fotograbados. Jorge Piñó Sandoval, entonces muy joven, era el doblador, enfajillador, repartidor y fijador en los muros callejeros. Empezó su brillante carrera periodística desde el *a e i o u* del oficio.

Después de publicados cinco o seis números, *El Machete* fue cedido por los artistas al naciente Partido Comunista, integrado entonces por sólo un comité muy reducido.

"Nuestros dibujos originales fueron comprados más tarde por los obreros petroleros de Tampico, quedando el producto a beneficio de *El Machete*".

Uno de los primeros intentos para interesar a los intelectuales en los problemas obreros fue la creación de un grupo llamado "Grupo Solidario del Movimiento Obrero", que fue formado por don Vicente Lombardo Toledano, entonces director de la Preparatoria, Henríquez Ureña, Toussaint, Caso, Rivera, licenciado Enrique Delhumeau, Orozco y algunas otras personas. Los dos últimos fueron comisionados para establecer comités locales del grupo en Morelia y Guadalajara y para allá fueron a convocar a los intelectuales. Los únicos que acudieron a su llamado fueron bohemios de ésos que lo mismo van a una boda, a un mitin comunista, uno fascista, un convite de circo o lo que sea. Señoritas que declamaban versos románticos y anarquistas pueblerinos de lo más inofensivo.

La pintura invadía los muros. Composiciones heroicas, experimentos, entusiasmo, envidias, intrigas, aprendizaje.

A los preparatorianos no les caía bien la pintura. Puede decirse que a nadie le gustaba y eran frecuentes las quejas y protestas que los estudiantes llevaban a la Secretaría de Educación. Sabido esto por Ignacio Asúnsolo se presentó una mañana en la Preparatoria al frente de los sesenta canteros que tenía a su servicio y empuñando su pistola 45 comenzó una balacera que agotó los tiros de sus tres cananas, y él y su brigada lanzaron mueras a los estudiantes reacios a la belleza. Asúnsolo trabajaba en las esculturas que decorarían la fachada y los patios de la Secretaría de Educación y a punta de bala tenían que defenderse de los envidiosillos que eran su común enemigo.

En otra ocasión se presentaron las damas de la Cruz Roja o Verde, que necesitaban el patio mayor de la Preparatoria para hacer una *kermesse* de caridad; pero en lugar de pedirles cortésmente que suspendieran el trabajo por unos días, les ordenaron con altanería que se retiraran, mandaron deshacer en el acto los andamios y sobre las mismas pinturas en ejecución clavaron los adornos para la fiesta. Expresaban en voz alta su disgusto y desprecio por el trabajo realizado. Les desagradaba especialmente la figura desnuda de una mujer con un niño, creyéndola una Virgen; pero Orozco no había tenido la intención de pintar una virgen, sino una madre.

Al dejar el señor Vasconcelos su puesto de Secretario ya no fue posible seguir trabajando. Siqueiros y Orozco fueron arrojados a la calle por los estudiantes y sus murales fueron gravemente dañados a palos, pedradas y navajazos.

El Sindicato de Pintores y Escultores no sirvió para nada, pues los compañeros se negaron a apoyar su protesta. Todavía no aprendían la técnica de la publicidad; de haberla conocido hubieran seguido trabajando a pesar de la oposición. Tal técnica es bien sencilla: se empieza por declarar a gritos que son reaccionarios, burgueses decrépitos y quintacolumnistas todos aquellos a quienes no les gusten las pinturas, y que éstas son patrimonio de los trabajadores, sin precisar de cuáles ni decir por qué.

Luego hay que estallar en insultos contra todo mundo y especialmente contra personas prominentes. Enseguida se mete uno en camisa de once varas con la filosofía y las ciencias, ya que la mayoría de los oyentes tampoco entiende jota del papasal. Los recursos comerciales de publicidad son muy variados, desde repartir anuncios de mano hasta escribir letreros con humo sobre el azul celeste por medio de un aeroplano. Un truco muy bueno y que da mucha importancia es barajar el nombre propio con los de hombres ilustres, así como de pasada y al descuido, por ejemplo: Aristóteles, Carlo Magno, Yo y Julio César. La política también ofrece recursos inagotables: Biografía inventada del candidato, con episodios que nunca sucedieron y anécdotas falsas. En su niñez fue muy precoz y en su adolescencia muy estudioso. Después honrado padre de familia, ciudadano consciente y se sacrificó por el bien del pueblo. El contrincante es siempre un hijo de la matraca, lleno de lacras, al servicio de la dictadura.

Luego vienen los recursos de los merolicos que andan cargando una víbora inofensiva y muerta de hambre, la cual va a bailar una conga y a contestar las preguntas que le haga el respetable público, pero antes de que tal cosa suceda hay tiempo más que suficiente para que el merolico venda docenas de frascos de elíxir contra el dolor de muelas.

Todo esto sin contar con la técnica publicitaria para vender cuanto hay: sonrisas de las estrellas, toros bravos, armamentos , chicle, terrenos en las Lomas y en Acapulco, barcos de guerra, calcetines, pepitas tostadas, tratados internacionales, refrescos, billetes de lotería.

Un gran recurso era salir encuerado a la calle y pararse de cabeza en la esquina de San Juan de Letrán y Madero a las doce del día.

De haberlo sabido, ni a Siqueiros ni a Orozco los hubieran arrojado a la calle como perros rabiosos.

Estos escándalos dieron fin al sindicato.

Después tuvo Orozco la buena fortuna de conocer a don Francisco S. Iturbe, hombre de la más alta cultura y todo un caballero, que lo honró con su amistad. Le encomendó el trabajo de pintar al fresco el muro que corresponde al descanso de la escalera en la Casa de los Azulejos, propiedad de la familia Iturbe. La pintura tuvo por nombre *Omnisciencia*. Poco después volvió Orozco a la Preparatoria a terminar el trabajo comenzado, esta vez contando con la valiosa ayuda del señor doctor Alfonso Pruneda, rector, en aquella época, de la Universidad Nacional. De entonces son las pinturas de la escalera y las del tercer piso, así como la hazaña de pintar en dos semanas, sin más ayuda que un albañil, un muro de unos cien metros cuadrados en la Escuela Industrial de Orizaba, por orden del secretario de Educación, doctor J. M. Puig Casauranc.

Entre 1924 y 1926 apareció la patraña de la pintura de pulquería, expresión sublime del genio plástico del pueblo mexicano, poderosa e inmortal creación de una raza cósmica, convulsión telúrica, trasunto de cosmogonías ancestrales y aliento de los dioses, etc. Las pobres pinturas de pulquería han desaparecido todas sin dejar huella, no precisamente a causa de convulsiones telúricas sino por estar pintadas con engrudo y cola. Todavía por la colonia de San Rafael se encontraba una pulquería que se llamaba Los Tigres y sólo por el nombre podría suponerse que quisieron pintar tigres. Eran más bien perros sarnosos, sin gracia, ni originalidad ninguna. Es inútil buscar por la ciudad las demás creaciones plásticas de pulquería del pueblo mexicano. No queda una sola.

En cuanto a los retablos, podría haber algunos muy interesantes, magníficos y aun geniales, pero los demás eran como la pintura de pulquería, iguales a los muñecos de aficionados en cualquier parte del mundo. Los retablos repetían el mismo tema, con muy pocas variaciones: la cama, el enfermo arrodillado y la aparición milagrosa entre las nubes. Han pasado como obras de arte gracias al surrealismo: se pintaba algo que semejaba remotamente una silla y se le ponía por nombre "niño jugando con su perro". Después se le mandaba hacer marco, y listo.

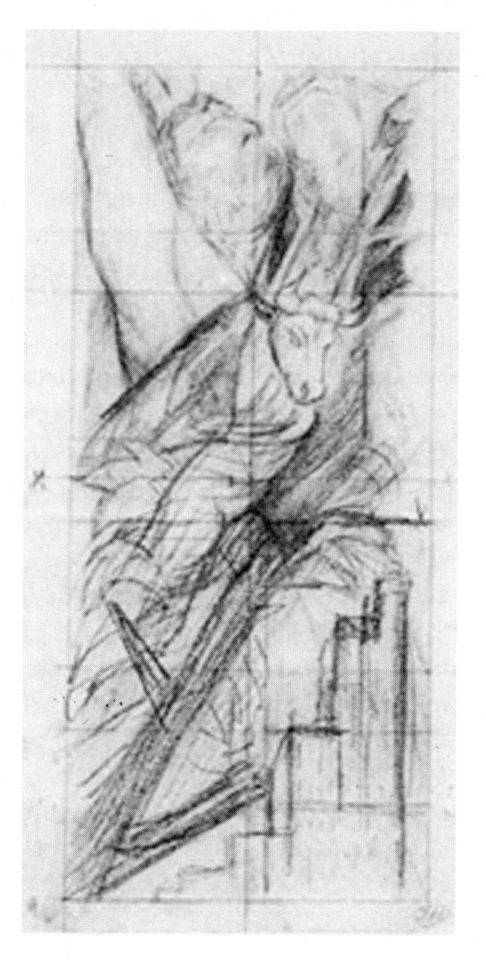

"Destrucción de la Mitología".
Carbón sobre papel, 1930.

Segunda visita a Nueva York

Encontrando poco propicio a México en 1927, resolvió Orozco ir a Nueva York, contando con la generosa ayuda de don Genaro Estrada, secretario de Relaciones Exteriores, quien le facilitó recursos suficientes para el pasaje y tres meses de subsistencia.

Era diciembre y en Nueva York hacía mucho frío. No conocía a nadie y se propuso volver a comenzar desde el principio. Tuvo un cuarto muy confortable en Riverside Drive, a dos pasos del río Hudson y muy cerca de la Universidad de Columbia. Era uno de esos cuartos en sótano con entrada directa por la calle, bajando una escalera corta de piedra. Por la noche se acumulaba la nieve, bloqueando completamente la puerta de entrada y a la mañana siguiente tenía que abrir una brecha para salir a la calle y tal trabajo lo divertía mucho y hacía feliz. Sus paseos eran a lo largo del río y por las noches a los numerosos teatros, cabarets y *dancings* de los negros, en el inmenso barrio de Harlem. Negros de porte muy digno, algunos tan negros como la pulpa del zapote prieto. Todos muy altos y bien formados. Ellas, las jóvenes, estaban desesperadas por blanquear su cutis y volver lacio su pelo ensortijado. Había negros enriquecidos que se daban el lujo de tener servidumbre de raza blanca. Muchachas de rasgos sumamente enérgicos, fuertes, duras y de una esbeltez increíble. Actrices y bailarinas que no se parecían a las de ninguna otra raza. Negros fornidos que jugaban y lloraban como niños.

Otras veces iba a dar hasta el otro extremo de Manhattan, al barrio italiano y al llamado gheto. En éste último había numerosos teatros. En uno de ellos se representaba una larga comedia muy complicada, con demasiados personajes y en idoma *yiddish*. Pero por la acción, los trajes y las decoraciones era muy clara la trama: el hijo mayor de una familia hebraica era sonsacado por un sacerdote católico representado en caricatura y todo lleno de cruces por delante y por detrás, de los zapatos al sombrero. El joven estaba ya a punto de ser convertido al cristianismo y la familia, en gran angustia, se desesperaba por salvarlo, haciendo toda clase de esfuerzos para conseguirlo. Gran final de arrepentimiento del joven, huida del sacerdote, regocijo de la familia, y el público llorando de emoción y abrazándose unos a otros, sumidos en una atmósfera densa y caliente, saturada de humo de tabaco.

Cerca del barrio hebreo había un populoso barrio italiano más grande que Nápoles. Las familias se sentaban en tertulia en plena calle, había cilindros de música y los volantines ambulantes para la chiquillería. Tendederos de ropa lavada, puesta a secar, allá en lo alto, atravesando la calle de ventana a ventana. Teatritos de títeres representando dramones y tragedias truculentas, de amor, traición y celos en castillos formidables, guardados por gigantes armados de lanzas y alfanjes descomunales. *Otelo y Desdémona*, *Aída*, *La Divina Comedia* y Bocaccio. Luego el merendero con sus interminables macarrones, el estupendo brócoli y el vino rojo. La fantástica variedad de quesos italianos en la cremería, y hasta una boda fastuosísima, los novios seguidos de cientos de parientes y músicos ambulantes enflorados.

En el vecino barrio de Greenwich Village, Orozco visitó a Carlos Chávez en su casita pequeña pero suficiente para contener un gran piano.

En dos minutos se podía ir de Italia a China y al Japón. En el barrio chino celebraban su año nuevo a mediados del nuestro, con las ondulaciones de un dragón de cartón y manta pintada y que ocupa tres calles. Tronadera de cohetes. *Chop suey* y langosta. En el restaurante japonés servían una sopa que parecía el fondo del mar: corales, pulpos, estrellas y caracoles. Restos de un submarino en lo más profundo.

Unas amigas de Orozco que había conocido en México lo presentaron en Nueva York con Alma Reed. Ella había venido a México a escribir unas informaciones sobre arqueología para el *New York Times*. Cuando visitó Yucatán, conoció al gobernador Felipe Carrillo Puerto y enamorándose uno de otro proyectaron unirse en matrimonio. Mientras la señora Reed regresaba a su patria con el objeto de hacer preparativos para la boda, Carrillo Puerto era asesinado al estallar la revuelta delahuertista, y su novia, profundamente adolorida, emprendía el camino de Europa a entregarse a sus estudios arqueológicos en Italia y Grecia. En este último país conoció a la señora Eva Sikelianos, esposa del poeta trágico Angelo Sikelianos, siendo los dos los animadores del movimiento nacionalista griego que pretendía nada menos que el resurgimiento de la antigua cultura helénica.

Los poemas de Sikelianos eran geniales y de altísimos vuelos, y Alma Reed se puso a la tarea de traducirlos al inglés. Cuando Orozco la conoció, ella y la señora Sikelianos habitaban una amplia casa en la parte baja de la Quinta Avenida. Habían venido a Nueva York a solicitar ayuda financiera para la causa del resurgimiento de Grecia y a organizar una excursión a los festivales que cada dos años se celebraban en Delfos. En el que correspondía a 1929 se representarían el *Prometeo encadenado* y *Las suplicantes*, precisamente en el antiguo teatro délfico. Se prometían también juegos olímpicos en el estadio, exhibiciones de arte popular y cantos y danzas por los pastores del Parnaso.

El salón de la señora Sikelianos, literario-revolucionario, era concurridísimo. Unos días acudían griegos, entre ellos el doctor Kalimacos, patriarca de la Iglesia griega de Nueva York. Se oía el griego moderno, hablado a la perfección por las dueñas de la casa. Otros días venían hindúes de color bronceado y turbante, adictos a la causa de Mahatma Gandhi. Entraba majestuosamente la señora Sarojini Naidu ataviada a la usanza de su país, luciendo entre las cejas la marca roja distintivo de su elevada casta y seguida por un cortejo de doncellas y secretarias, ataviadas igualmente con sus trajes y velos de colores, bordados de oro. La señora Naidu, colaboradora de Gandhi, había sido educada en Oxford y hablaba un inglés perfecto. Encabezaba un comité de ayuda y propaganda de la causa del pueblo hindú, resistencia pasiva contra la dominación británica. Las armas eran los telares para tejer sus propias ropas, estando prohibida la fabricación de telas para dar lugar a las importadas de Inglaterra. Y siendo prohibida también la elaboraci6n de la sal, el pueblo en masa se rebelaba yendo a las playas para fabricarla.

Un brillante expositor de las miserias de la India era un apuesto joven conferencista que, según se decía, descendía directamente de Mahoma, lo cual traía de cabeza a las damas. Una vez dio una serie de conferencias magníficas sobre religiones comparadas, de lo más documentado e instructivo.

Otras veladas eran puramente literarias y con una asistencia más bien americana, en su mayoría de señoras aristócratas de quienes se esperaba precisamente su generosa contribución para las causas griega e hindú. Alma

Reed recitaba sus traducciones de los poemas épicos de Sikelianos, algunos de los cuales ya habían sido editados en un volumen con el nombre de *The Dedication*. Sonaba magníficamente uno que se refería a "una nueva generación de dioses". Luego seguían los ritmos grandiosos de Van Noppen, un poeta holandés que escribía un poema de proporciones cósmicas. Y por último, se permitía, con cierta tolerancia, que las señoras del concurso sacaran a luz sus propias producciones, poesías sencillas e ingenuas. Las autoras quedaban muy satisfechas y pedían con humildad una crítica orientadora, pero eran de todos modos aplaudidas.

El caso de Van Noppen fue muy penoso. Era realmente un poeta verdadero y de mucho valer, pero muy tímido y pusilánime. Las señoras le sugerían continuamente cambios, correcciones y adiciones a su versificación, y aun a sus ideas, él cedía y jamás pudo llegar a la forma que en definitiva había de tener su obra.

Las señoras Sikelianos, Reed y Naidu, se habían interesado grandemente por los cuadros y dibujos de la revolución de Orozco, y éstos fueron exhibidos a lo largo de las paredes de la sala. La señora Naidu sentía especial simpatía por los infelices peones mexicanos, en armas contra la injusticia, y los creía en condiciones semejantes a los millones y millones de intocables de su país; pero se le explicó que el más miserable de los campesinos mexicanos era inmensamente feliz comparado con aquellos seres de la India, cuya condición es inferior a la del más inmundo de los animales, privados en lo absoluto de derechos humanos, civiles o políticos; privados del derecho de trabajar, de instruirse, de moverse, de hablar, de quejarse; obligados a quemar viva a la viuda sobre el cadáver del esposo; víctimas de espantosas enfermedades, hambrientos, sin ayuda de nadie, sumidos en podredumbre y sin más esperanza que la muerte. Su estado era tal que la gente con casta no los podían tocar siquiera. Eran "intocables".

"Échate la otra", 1930.

Pomona y *Prometeo*

La casa de la señora Sikelianos estaba profusamente decorada con objetos de arte popular griego, especialmente tejidos de lana y era muy notable la semejanza de éstos con ciertos tipos de sarapes mexicanos, particularmente los de colores grises, blanco y negro. El ambiente era por tanto muy propicio para los dibujos de la Revolución de Orozco, los cuales representaban en su mayoría incidentes de los combates entre zapatistas, villistas y carrancistas.

Los griegos encontraban algo de común entre las características del pueblo griego actual y las del pueblo mexicano, lo mismo que entre el aspecto físico de uno y de otro país. Alma Reed, con su conocimiento de México, lo confirmaba: el mismo primitivismo, el mismo buen gusto para darle forma y color a los objetos de uso diario, la misma fiereza para defender su libertad. Había fotografías de campesinos griegos frente a sus chozas y con sus burros, que hubieran sido tomadas por fotografías de campesinos mexicanos. Esto fue probablemente lo que le valió a Orozco la simpatía de la señora Sikelianos y del doctor Kalimacos, el patriarca de la Iglesia griega de Nueva York. Su simpatía llegó al grado de conferirle un honor desusado e inmerecido. Una noche fue invitado a ir a la casa del poeta Van Noppen en Staten Island, junto con todos sus amigos los griegos. Alma Reed llevó la palabra délfica de

Sikelianos, poeta filósofo, en sus poemas: *Prólogo a la vida, Calipso, Resurrección* y fragmentos de sus tragedias *La Sibila, Dédalos* y *Asklepios*, descendientes directas de las esquilianas. Luego el doctor Kalimacos se levantó y dijo solemnemente: "para nosotros los griegos, todos los verdaderos artistas del mundo, de todos los tiempos, son griegos". El poeta Van Noppen y Orozco se inclinaron y el doctor Kalimacos los coronó con sendas coronas de laurel, imponiéndoles nuevos nombres. Orozco fue rebautizado con el de Panselenos, o sea el de un famoso pintor griego del tiempo de Bizancio y cuyas pinturas murales se encuentran en Mistra. La corona de laurel no era en este caso un símbolo de triunfo, precisamente, sino de adopción. Grecia inmortal los creía dignos de entrar a sus talleres en calidad de aprendices, los más humildes y torpes.

Era una noche transparente, brillaba la luna llena y al volver a Manhattan en el ferry boat, sobre la encantada bahía de Nueva York, la imaginación de Orozco se poblaba de las imágenes alargadas, rígidas y austeras de los apóstoles y de las vírgenes a los pies del gigantesco Pantocrator.

Toda aquella comunidad helénica sentía un gran desprecio hacia Roma. Para ellos sólo Grecia era la creadora de la belleza; Roma era monstruosa, dura y pesada, albergue de esclavos y déspotas. Pero esto no impedía que una de las mejores amigas de la señora Sikelianos fuera una fastuosa princesa romana a la que visitaban en su lujosa residencia. En el gran salón no había sillas ni divanes, sino soberbias pieles de oso tapizando el suelo y suaves cojines, donde reposaban las damas sus cuerpos blancos y perfumados envueltos en sedas.

Una mañana, en 1929, algo muy grave pasó en Nueva York. La gente corría más de lo acostumbrado, se discutía acaloradamente en los corrillos, las sirenas de los bomberos y de la Cruz Roja aullaban ferozmente por todos lados y las extras de los periódicos, traídas en grandes fardos a bordo de camiones, volaban de mano en mano. Wall Street y sus alrededores eran un maremágnum infernal. Muchos especuladores ya se habían arrojado a la calle desde las ventanas de sus oficinas y sus restos eran recogidos por la policía. Los *office boy* ya no apostaban a si el patrón se suicidaría o no, sino a qué hora lo haría, antes o después del *lunch*. Millares y millares de personas perdían su dinero y cuanto tenían en pocos minutos. Los valores de la bolsa bajaban hasta el cero. Una deuda espantosa ocupaba el lugar de una fortuna. El *crash*. Sobreproducción por falta de exportación. Los mercados mundiales estaban atestados de mercancía que nadie compraba. Cierre de fábricas y desaparición de grandes negocios. Pánico. Falta de crédito. Alza en el costo de la vida, millones de personas que se quedaban repentinamente sin trabajo y las numerosas agencias de empleos de la Sexta y la Tercera avenidas eran asaltadas en vano por los desocupados. Los poderosos habían prometido una prosperidad sin fin y aseguraban una gallina en cada puchero, pero ahora no había fuego siquiera en millones de hogares. El Municipio se vio obligado a repartir raciones de sopa y café, y por los barrios de Nueva York había pavorosas colas de hombres hercúleos, apenas abrigados por viejas ropas y sin sombrero, soportando largas horas a la intemperie a una temperatura muy abajo de cero, de pie sobre una capa de nieve endurecida. Hombres de cara roja, dura, rabiosa, desesperada, con la mirada opaca y los puños cerrados. Por las noches abundaba gente que pedía en las calles, al amparo de las sombras, un níquel para un café y era cosa cierta, ciertísima, que lo necesitaban, sin lugar a duda. Era el *crash*, el desastre.

La sobreproducción bajó los precios y por tanto las utilidades. Para subir aquéllos se disminuyó la producción reduciendo la superficie cultivada *plowing under* arrancando con el arado los plantíos de algodón y patatas. Menos minería y menos industria. Pero esto aumentó el número de los sintrabajo y otra vez a fabricar armamentos para que se mataran los desocupados y subieran los salarios y las utilidades. Y la guerra estalló en Europa. Las naciones apelaron al gran recurso de aquel tenor de ópera de ínfima categoría que cuando se le salía un *gallo* lanzaba inmediatamente un sonoro ¡Viva México! y sacaba del bolsillo una bandera tricolor.

La señora Sikelianos se fue a Europa y en París hizo que se exhibieran los dibujos de Orozco de la Revolución Mexicana en la galería *Fermé la Nuit*. Antes habían sido ya expuestos en Nueva York en la de Marie Sterner.

Alma Reed se quedó en Nueva York y le propuso a Orozco gentilmente fundar una galería, con el objeto de dar a conocer su trabajo. Orozco aceptó muy agradecido y fue establecida en la calle Cincuenta y siete con el nombre de *Delphic Studios*, precisamente donde se encuentran las más importantes galerías neoyorquinas de pintura.

Abierto al público Delphic Studios, llegaron unos rusos blancos que habían huido de Moscú al triunfar la revolución bolchevique; habían pasado por Shanghai y San Francisco y terminaron su largo viaje en Nueva York. Traían una enorme cantidad de objetos de arte que proponían en venta. Eran íconos ricamente guarnecidos de oro y plata. Pinturas, muebles y tibores chinos de increíble suntuosidad, tapetes persas antiguos de todos tamaños y de fantásticos dibujos, porcelanas rarísimas, marfiles; y para completar tanta maravilla, algunos objetos que habían sido propiedad personal del último zar de Rusia, Nicolás II. Entre estos objetos descollaba un reloj monumental de mesa, de un metro de altura, regalado al zar por sus parientes en alguno de sus cumpleaños según se leía en una larga inscripción con los nombres de los archiduques y las archiduquesas. El reloj estaba montado sobre un cerro de plata maciza y sobre el cerro jugueteaban infinidad de angelillos gordinflones haciendo mil monerías y travesuras. El conjunto era pesado, insolente y del peor gusto. Todos los objetos de la colección fueron tomando su camino poco a poco hacia museos o colecciones particulares, pero el reloj del zar no se vendía. Lo tuvo Orozco en su recámara por mucho tiempo y lo acompañó hasta Los Angeles, donde lo perdió de vista.

En 1930 su viejo amigo Jorge Juan Crespo le escribió de Hollywood diciéndole que don José Pijoan, profesor de Historia del Arte en el Colegio de Pomona, había tenido la idea de que un pintor mexicano decorara los muros del refectorio del colegio. Jorge Juan le sugirió a Orozco y lo llamaba a Pomona. Aceptó y emprendió el viaje. La idea no había sido muy bien acogida por el cuerpo de *trustees* o patronato del colegio, pero los estudiantes y algunos profesores estaban muy interesados.

El refectorio era un edificio muy grande con capacidad para que tomaran sus alimentos, con toda comodidad, unas doscientas personas. En uno de los extremos había una chimenea y encima un muro de unos cien metros cuadrados.

Los recursos eran muy escasos pues sólo había cortas contribuciones de estudiantes y profesores. Después de algunas deliberaciones fue adoptado el tema de *Prometeo* y el trabajo comenzó inmediatamente a pesar del disgusto de los *trustees*, los cuales pasaban por el refectorio gruñendo, viendo de reojo los andamios y dispuestos a morder a Orozco al primer movimiento.

El trabajo terminó y volvió a San Francisco con menos dinero en el bolsillo que el que tenía la primera vez que visitó la ciudad en 1917. No era suficiente siquiera para el pasaje de regreso a Nueva York. Entonces se puso a pintar un cuadro que representaba a Zapata entrando a una casa de campesinos, cuadro que ahora se encuentra en el museo del Arts Institute de Chicago. Malbarató la pintura y volvió a atravesar el continente. Entró en Manhattan con el corazón ligero, con la confianza y la alegría del que vuelve a su casa, un hogar de rascacielos, de *subways* y de arte. *Home, sweet home.*

"Zapatistas". Óleo sobre tela, 1931.

La simetría dinámica y el secreto de la belleza

En 1930 pintó al fresco los muros de un salón en el edificio moderno de la New School for Social Research o Escuela de Investigaciones Sociales, en Nueva York.

Los temas de estas pinturas son como sigue: en el centro, la mesa de la fraternidad universal. Gente de todas las razas presididas por un negro. En los muros laterales alegorías de la revolución mundial. Gandhi, Carrillo Puerto y Lenin. Luego un grupo de esclavos y otro de obreros entrando a su hogar después del trabajo. En un muro al exterior del salón, una alegoría de las ciencias y las artes.

El negro presidiendo y el retrato de Lenin fueron la causa de que la New School perdiera la contribución de varios de sus más ricos patrocinadores, cosa grave, pues la institución se sostenía solamente por la ayuda pecuniaria de sus amigos. En cambio ganó otras simpatías más numerosas. Se le había concedido absoluta libertad para trabajar: era una escuela de investigaciones y no de sumisiones.

Esta pintura tiene la particularidad de estar construida según los principios geométrico-estéticos del investigador Jay Hambidge. Aparte de la realización puramente personal deseaba Orozco saber prácticamente hasta qué punto eran útiles y verdaderos tales principios y cuáles eran sus posibilidades.

Hambidge fue un geómetra americano cuya idea fundamental consistía en descubrir las relaciones que existían entre el arte y la estructura de las formas naturales en el hombre y en las plantas, y luego, basándose en datos históricos y mediciones directas en templos, vasos, estatuas y joyas, precisar con exactitud científica la construcción geométrica de las obras del arte helénico. Había comenzado sus estudios en 1900 y posteriormente fue pensionado por la Universidad de Yale para hacer sus investigaciones en Grecia y los museos de toda Europa. Publicó un tratado de *Simetría dinámica,* un análisis del Partenón, del Templo de Apolo en Arcadia, del de Zeus en Olimpia, del de Egina y del de Sunium cerca de Atenas; un estudio sobre los vasos y finalmente una revista con el nombre de *The Diagonal.*

Murió Hambidge hacia 1928 y su viuda, la señora Mary Hambidge, a quien Orozco conoció en casa de la señora Silcelianos, le proponía que continuaran, ella y Orozco, los estudios sobre la estructura geométrica del cuerpo humano, que había dejado su esposo sin terminar, pero no le fue posible aceptar por ser tales estudios demasiado largos y laboriosos, y hubieran obligado a Orozco a dejar la pintura por bastante tiempo.

Las teorías de Hambidge tenían una sólida base histórica. Según inscripciones en templos egipcios, había agrimensores o topógrafos encargados de orientarlos y trazarlos. Su medida era una cuerda dividida en doce partes iguales por medio de nudos. Después de trazar una línea relacionada con la Osa Mayor, determinaban la perpendicular trazando un triángulo rectángulo por medio de las divisiones de la cuerda, 3 y 4 para los catetos y 5 para la hipotenusa. Todo el templo tendría después las mismas proporciones.

En el *Teetetes* de Platón hay referencias a los rectángulos derivados del cuadrado y sus diagonales, hablando de la inconmensurabilidad en longitud de las raíces de ciertos números (estas referencias se encuentran al principio del Diálogo). Un geómetra llamado Exodus, contemporáneo de Platón, investigó lo referente a La Sección llamada más tarde divina o Sección de Oro y que no es otra cosa que la proporción entre un lado menor y uno mayor del rectángulo 1.618.

Enclides, enseña en sus proposiciones a distinguir entre la superficie y líneas conmensurables o racionales e inconmensurables o irracionales.

El nombre de simetría dinámica es la interpretación que hace Hambidge del griego "conmensurable en poder o en cuadrado", dado por los filósofos helénicos a las relaciones que existen entre las superficies de los rectángulos raíz cuadrada, o sea aquellos cuyo lado menor es la unidad y los lados mayores la raíz cuadrada de dos, tres, cuatro, cinco.

El autor de la Simetría explica que hay dos tipos de arte: el dinámico y el estático. Al primer tipo corresponde el de los egipcios y el de los griegos, en las épocas de madurez. Al segundo, el arte de todos los demás pueblos, sin excepción. Las formas creadas por los primeros son dinámicas porque contienen en sí mismas, por su estructura, el principio de acción, de movimiento y por tanto pueden crecer, desarrollarse y multiplicarse de un modo semejante a las del cuerpo humano y a las de los demás seres vivientes. Y cuando el desarrollo es normal se produce un ritmo y una armonía que son cabalmente lo que entendemos por belleza. Esto constituye la supremacía del arte egipcio y del griego clásico sobre todos los demás.

El arte estático, como el de los árabes, chinos, japoneses, hindúes, asirios, bizantinos, góticos, etc., corresponde a la estructura del mundo inanimado, como los cristales.

Es estático porque sus elementos están fijos y sin más posibilidad de crecimiento que la adición externa de elementos igualmente pasivos.

La estructura de las formas dinámicas consiste en superficies conmensurables organizadas en proporción geométrica y tiene por base u origen el cuadrado y su diagonal y la diagonal de la mitad del cuadrado. De ahí se derivan los rectángulos "raíz cuadrada" y de éstos un número infinito de otros rectángulos.

Sería interesante averiguar a cuál de los dos tipos corresponde el arte precortesiano, especialmente el tolteca, el azteca y el maya. Hambidge sostenía que el arte dinámico sólo puede existir conscientemente y ser ejecutado sobre un plan geométrico preciso; pero admitía que cuando una obra de arte tiene valor es porque contiene elementos dinámicos que aparecen espontáneamente debido a la intuición o genio del artista. Esto es aplicable a todas las artes sin excepción: pintura, escultura, arquitectura, música, literatura y danza.

Los romanos no tuvieron la menor idea de los principios dinámicos descubiertos y usados por los griegos. Sólo sospecharon su existencia. Es por esto que Vitrubio, el arquitecto del tiempo de Augusto, se equivocó al asegurar que los templos y las estatuas helénicas estaban proporcionadas por medio de un módulo, y el error persistió durante la Edad Media, se propagó a todo el Renacimiento y de ahí pasó a las academias. No existe una sola obra de arte helénico que corresponda a los módulos de Vitrubio, y tan ridículas como éstos son las recetas para construir un cuerpo humano con las siete y media u ocho alturas de cabeza y lo mismo puede decirse de la regla de que la estatura del individuo es igual a la distancia que hay de mano a mano estando los brazos extendidos. Sólo en uno de veinte o treinta casos se pueden encontrar tales proporciones. Los módulos de Vitrubio sólo han producido formas estáticas: son longitudes conmensurables, no superficies. A esto se agregó, desde el Renacimiento italiano, la peste anatómica que ha ensuciado el arte hasta nuestros días. En otras palabras: no hubo tal renacimiento en lo que a artes plásticas se refiere. Era otro arte muy diferente.

La simetría dinámica hizo furor en los Estados Unidos y en Europa entre los años de 1920 y 1930. No había pintor, escultor, arquitecto o decorador, que no aplicara en su trabajo los métodos de Hambidge; pero como siempre sucede, fueron mal interpretados y se convirtieron en receta académica. La gente creyó que había sido descubierto por fin "el secreto de la belleza griega" y que estaba al alcance de cualquiera que poseyera un compás, una regla y supiera hacer multiplicaciones y divisiones. Era curioso ver a los artistas empezar un cuadro o una escultura como un contador empieza el balance de un banco, haciendo cuentas y más cuentas. Lo único que quedó fue una mejoría muy notable en las artes decorativas. Las telas, los muebles, los tapices, los libros, la cerámica, tomaron un aspecto muy diferente y superior al anterior. El mismo Hambidge llevó demasiado lejos sus propias conclusiones, pero prestó un gran servicio a las artes pues las proveyó de un instrumento sin el cual no pueden existir; instrumento ya muy antiguo, pero olvidado: la geometría.

El arte moderno ignoró las teorías de la Simetría dinámica, pero no pudo ignorar la geometría misma porque su preocupación capital fue la forma objetiva. Llegó por intuición, empíricamente, a los mismos resultados, pues no hay otro camino ni posibilidad. El mismo surrealismo, por mucho que sueñe, tiene necesidad absoluta de formas y que éstas sean dinámicas, porque de lo contrario el sueño se convertiría en muerte. Lo bello, para el hombre, es solamente lo que está construido como él mismo, como su cuerpo y como su espíritu.

Después de la pintura en la New School abandonó Orozco los métodos tan rigurosos y científicos de la Simetría dinámica, pero guardó lo que había de fundamental e inevitable en lo aprendido, para forjar nuevos métodos de trabajo. Tuvo la explicación de muchos errores anteriores y encontró nuevos caminos.

"Sacrificio humano". Fresco, 1932-34.

Por Europa

En 1932 visitó Europa en un viaje corto de tres meses. Su intención no era conocerla, pues el viejo mundo no puede ser conocido en noventa días. Quería solamente ver parte de la gran pintura en museos y templos.

La primera ciudad que visitó fue Londres por haber oído hablar con mucha admiración de los cartones o bocetos que pintó Rafael para los tapices que existen en el Vaticano. Se le había contado que unos artistas chinos muy afamados habían estado en Europa, conociendo todos los museos. Interrogados más tarde acerca de cuál obra de arte era, en su concepto, la mejor de todas las que habían visto, contestaron que los cartones de Rafael. Así pues, llegando a Londres se encaminó al museo de artes industriales *Victoria and Albert* y se dio cuenta de que los artistas chinos tenían razón. Los cartones eran unos doce o catorce. Su tamaño es de tres por cuatro metros aproximadamente y están pintados sobre papel o sobre alguna tela delgada semejante al papel. Parecen acuarelas y su colorido es brillantísimo. La composición es rica y suntuosa. Son tan impresionantes que muy bien pudieran ser superiores a los cuadros y frescos del maestro, en el Vaticano. Era de lamentar que se encontraran colocados muy alto en un salón oscuro, lo cual impedía apreciar bien los detalles.

Londres le pareció la casa de una familia noble que fue riquísima y ha perdido toda su fortuna. Todo deslucido, falto de renovación, desportillado. Gran parte de las banquetas estaban decoradas con elaborados dibujos a colores y sobre cada dibujo un hombre con los gises en la mano trabajando, su sombrero colocado ostensiblemente para solicitar la limosna del compasivo público. No había calle donde no hubiera artistas de éstos. Se había imaginado a Londres de muy distinta manera. ¿Qué podía esperarse de un país que era dueño de todos los océanos y tenía colonias como el Canadá, la India, Australia y medio continente africano; que dominaba los negocios del mundo entero y poseía todo el petróleo, todo el hule, las caídas de agua? Jamás se hubiera imaginado que él, ciudadano de un país muy modesto, semicolonial como lo llamaban, fuera a repartir monedas a los hambrientos en las calles y plazas de la capital inglesa.

Vio un París muy viejo, arruinado, miserable. ¿En dónde estarían las mujeres elegantes y bellas? En un mes no vio una sola, absolutamente ninguna. Después de las seis de la tarde, París era un inmenso prostíbulo; miles y miles de busconas sentadas en las sillas de los cafés y miles ambulando por las calles al acecho feroz de los transeúntes. Pero lo peor era una cantidad increíble de hombres haciendo descaradamente las peores proposiciones al público. Los alrededores del *Folies* repletos de librerías exhibiendo la literatura y la estampería más audaces. El antiquísimo Montmartre, un cadáver cayéndose a pedazos y Montparnasse lleno de vagos y abúlicos. Claro que toda aquella miseria no era la Francia; la vieja y querida Francia era otra cosa. Lo que Orozco veía era probablemente una mojiganga para divertir a los turistas que en gran cantidad invadían a Europa y que esperaban encontrar lo que sus guías decían que encontrarían. Los barcos que venían de las tres Américas vaciaban en los puertos su alegre cargamento estándar con un itinerario bien definido, medido, calculado, de antemano, al minuto. Con instrucciones precisas de todo lo que tenían que ver, oír, oler, gustar, tocar, pensar y sentir.

Por toda Europa sucedía lo mismo. Los habitantes de los pueblos pintorescos, a la llegada de los turistas en la primavera, armaban los escenarios engañadores en las mismas calles del pueblo, vestían las ropas del siglo pasado y sacaban los mil muebles y demás objetos que son descritos en las novelas. Al llegar el invierno les quitaban a las casas la "pátina de los siglos" y los trajes, las decoraciones y carruajes típicos iban a dar a la utilería. Todo el teatro era guardado para el año siguiente.

Lo que no era ficticio era una gran exposición retrospectiva de Picasso en la galería Georges Petit, ni la publicación sensacional que hacían las revistas en aquellos días, de narraciones documentadas de un modo irrebatible, de las infamias de políticos y mercaderes de carne de cañón. Revelaciones de cómo se cambiaban los Aliados y Alemania, ciertas materias primas durante la primera Guerra Mundial, para hacer posible la continuación de la guerra, todo lo que convenía a los intereses de altos especuladores. Tampoco eran ficción las exhibiciones callejeras de fotografías de soldados que habían perdido el rostro o parte de él pero no la vida. Les quedaba apenas lo suficiente para respirar y alimentarse con sus sustancias predigeridas, vertidas directamente en las entrañas con aparatos especiales. Un arte misericordioso se afanaba por proveerlos de una máscara que les diera apariencia humana. Otros habían perdido no sólo el rostro, sino brazos y piernas, y continuaban viviendo milagrosamente convertidos en un ser no igualado jamás por las fantasías de los artistas de más rica imaginación.

Después de admirar las maravillas del Museo Británico y de la National Gallery, vio en el Louvre a El Greco, dominando con la simplicidad geométrica de su gran Cristo, la sala de los colosos de la pintura. Luego las galas primaverales de Claude Monet. Napoleón en Los Inválidos. Entró a Italia por el túnel de El Simplón, se detuvo en Milán a ver *La cena* de Leonardo. En Padua, el Giotto. En Venecia o Venedig, El Ticiano y Tintoretto, San Marcos. Ravena, Florencia, en donde encontró a don José Pijoan que venía de Nueva York rumbo a Suiza. Él le enseñó en una lección de todo un día lo que es Santa María de las Flores, los grandes florentinos y los Uffici. Assisi, Arezzo. Roma, ¡La Sixtina! y los inmensos museos del Vaticano. La Vía Apia y las Catacumbas. Las Termas. El Coliseo. Nápoles, "verla y morir". Pompeya y su Villa de los Misterios, en donde aprendió muchas, muchas cosas referentes al arte de pintar. Las calles de la ciudad muerta y los cadáveres aún aprisionados en la lava. Los frescos y los mosaicos en las casas y en las tiendas. Vuelta al norte, a Roma otra vez, Pisa y Génova. Por ferrocarril a Marsella. Luego Barcelona, Zaragoza, Madrid, Toledo y Ávila. En Toledo entierran todavía al conde de Orgaz, todavía vive El Greco, ahí pinta y sus apóstoles trabajan a diario. Alguno le llevaba su equipaje al hotel, otro le servía un vaso de vino, el de más allá era el chofer del camión a Madrid y veía otro más en el puente de Alcántara. San Sebastián, otra vez París y en El Havre se embarcó. Seis días de un descanso perfecto sobre un Atlántico azul, verde y violeta, tibio, tranquilo. De vuelta a Nueva York.

El Colegio de Dartmouth, en Hannover, New Hampshire, es uno de los establecimientos educativos más antiguos de la Unión Americana. Fue fundado varios años antes de la guerra de Independencia de ese país por un misionero que deseaba educar a los indios del lugar, Eleazar Weelock. Llegó con una gramática, una biblia, un tambor y cinco mil litros de aguardiente. Los indios acudieron al sonido del tambor, bebieron aguardiente y se enteraron del idioma y de los evangelios. Ahora ya no queda un solo indio para ser educado por tan buen sistema. El colegio guardaba todavía la gramática, la biblia y el tambor de Weelock. Cuenta en la actualidad con grandes edificios, estadios y laboratorios, que valen doce millones de dólares. En el centro, la Biblioteca Baker, orgullo de Dartmouth, con una sección de libros en español que por sí sola es más grande que muchas bibliotecas muy importantes de Hispanoamérica. En la planta baja de la biblioteca tuvo Orozco la oportunidad de pintar una serie de murales a iniciativa del departamento de bellas artes, cuyo director era el señor Artemas Packard. Su permanencia en Dartmouth, de 1932 a 1934, fue de lo más agradable y satisfactoria. La institución era uno de los mejores ejemplos del liberalismo del norte y de la hospitalidad de la Nueva Inglaterra. La población de ésta era completamente diferente de cualquiera otra en el país. Gente del campo, algo hostil y formal con los extraños y recién llegados, pero cordialísima después y deseosa de servir al prójimo, de comprenderlo y ayudarlo con la mejor voluntad, desinterés y cortesía. Las autoridades del colegio y los 2,500 estudiantes apoyaron con entusiasmo la iniciativa del departamento de bellas artes y Orozco se puso a trabajar. Le fue concedida absoluta libertad para expresar sus ideas: nunca le fueron hechas sugestiones u observaciones de ninguna especie. Al principio hubo oposición a la idea de que un extranjero pintara los muros de una institución que es uno de los santuarios del idealismo que fue el cimiento del gran país del norte. Las protestas no eran del colegio ni de Hannover, sino de Boston. Muchas de ellas venían firmadas con nombres recargados de consonantes, difíciles de leer, de países de la Europa central y los que firmaban protestaban en nombre del americanismo más puro, sin comprender que la actitud de Dartmouth era precisamente la expresión de una de las más preciadas virtudes del americanismo: la libertad de pensamiento y de palabra, la libertad de conciencia y de prensa, de que siempre se enorgulleció, y con razón, el pueblo americano.

Los murales consisten en catorce tableros de 3x4 metros aproximadamente y diez tableros menores.

El tema inicial era el de Quetzalcóatl, pero las pinturas finales ya no tienen relación muy clara con él.

Dartmouth era delicioso en invierno. Está sobre el río Conecticut, rodeado de montañas boscosas.

En febrero se celebra un famoso carnaval que atrae a las muchachas de los colegios aristocráticos y siendo Dartmouth exclusivo para varones, son muy bien recibidas para compañeras de baile y patinaje.

Uno de los números más importantes de las animadas fiestas invernales, era un concurso de escultura en hielo. Los estudiantes eran muy hábiles levantando figuras y aun monumentos de grandes dimensiones. Cada fraternidad construía el suyo frente a su casa y lo iluminaba por la noche. Era algo estupendo. Mientras estuvo Orozco en Dartmouth formó parte del jurado que repartía los premios.

Los deportes eran de lo más importante, especialmente el de esquiadores en invierno y futbol en verano.

Al terminar el trabajo, la facultad y los estudiantes lo despidieron de la manera más cordial.

En Bellas Artes

El 15 de agosto de 1934, Orozco firmó con Antonio Castro Leal, jefe del Departamento de Bellas Artes de la Secretaría de Educación Pública, un acuerdo para realizar una pintura al fresco en el muro oriente del Palacio de Bellas Artes, en el piso que entonces se denominaba "de galerías". Orozco se comprometió a terminar el fresco en un plazo de cuarenta días contados desde el inicio de los trabajos, se le pagarían diez mil pesos en cuatro abonos, hechos cada diez días. El tema sería escogido libremente por Orozco. El asunto elegido por el pintor fue *La guerra*, y así fue llamada la pintura durante varios años, hasta que el artista aceptó ponerle el título sugerido por Justino Fernández: "Katharsis".

¿Por qué "Katharsis", si lo que ahí puede verse no es un conflicto bélico convencional ni una purificación de pasiones por expulsión de elementos nocivos a la colectividad? En un tejido apretado, de gran dinamismo, debido al abigarrado juego de diagonales, Orozco simbolizó la lucha de clases en choque exacerbado durante la etapa avanzada del desarrollo capitalista. El hombre se ve atrapado, se destruye y agoniza entre los engranajes y la caja de caudales de la sociedad industrial. La explotación envilece al ser humano y lo deforma a tal grado que se antoja expulsado de vientres prostituidos.

Orozco intuía que el drama social conocería terribles grados de violencia, y no se equivocaba. Como Henri Barbusse, Aldous Huxley, Waldo Frank, André Gide, Orozco siente el peligro y trata de ayudar a tomar conciencia para evitar el desastre. El ruido de los bombardeos, en España primero y en toda Europa después, no tardaría en ahogar la voz de la cultura espiritual.

Debido a los problemas de hundimiento que sufría el Palacio de Bellas Artes, decide Orozco, al igual que Diego Rivera en el muro poniente del mismo recinto, no pintar directamente en el muro sino sobre un bastidor de acero, revestido de alambre y metal desplegado, capaz de sostener firmemente el aplanado de cemento, cal, arena y polvo de mármol, que recibiría los pigmentos.

Cuando Orozco regresó a México se instaló en su casa de Coyoacán. Al concluir el mural en el Palacio de Bellas Artes, pintó un autorretrato y se concentró en la ejecución de litografías y grabados al aguafuerte. Ambas técnicas habían tenido en México un amplio desarrollo al que Orozco se suma tardíamente. Pero su producción, de inconfundible carácter, tanto por su temática como por un uso muy personal del dibujo y de la luz, vino a enriquecer el catálogo de la gráfica nacional.

Diecinueve fueron las litografías trabajadas por él en Nueva York y una en París, entre 1928 y 1932. Quince tenían temas mexicanos: escenas de la Revolución, paisajes, momentos familiares de grupos campesinos y algunos detalles de sus murales en la Escuela Nacional Preparatoria. Para contribuir a la lucha contra la discriminación racial, Orozco hizo, en 1930, "Negros ahorcados", titulada también "Linchamiento" o "La escena americana". La litografía muestra una escena de linchamiento: cuerpos achicharrados de cuatro negros se contraen suspendidos de las ramas de unos árboles; las sofocantes llamas fueron prendidas por las criminales manos de la segregación racial, provocando una terrible, amarga e involuntaria danza grotesca. Orozco hizo esta litografía a solicitud de la Asociación Nacional para el Mejoramiento de la Gente de Color, como contribución a la campaña en contra de los linchamientos. Se exhibió por primera vez dentro de un conjunto de estampas y pinturas —todas sobre el tema del linchamiento— de notables artistas estadounidenses. Debido a protestas de fuentes no identificadas, el galerista Jacques Seliginan se negó a presentar la exposición, que al fin fue inaugurada en febrero de 1935 en la galería de Arthur U. Newton, causando furor.

En 1935, Orozco trabajó diez litografías, tres puntasecas y un grabado en puntaseca y aguafuerte. Dentro de este conjunto se cuentan varias de sus realizaciones gráficas más sobresalientes, como *Manifestación* y *Las masas*, demostrativas del escaso o nulo optimismo de Orozco en lo referente al peso social de las marchas y demostraciones. Emblemas, consignas y banderas parecieran hundirse y perder todo sentido a causa de la masificación. Los grabados fueron impresos en el taller de Francisco Díaz de León (1897-1975), artista gráfico de amplísimos conocimientos, reconocido por sus colegas como prolijo impresor. Cuatro piezas reproducían detalles de los murales de Poniona, Dartmouth y Bellas Artes. Otra más copiaba el cuadro "Échate la otra", grotesca escena de danzantes y pulquería, pintado en los días del Ashram como una broma antipintoresquista. Amargura y dramatismo son la tónica dominante en la serie gráfica de 1935, aun en piezas aparentemente satíricas como "Los turistas" o "Fin de fiesta".

El tercer tiempo gráfico de Orozco se dio en 1944, cuando trabajó 14 grabados en metal, la mayor parte al aguafuerte con mezclas técnicas de aguatinta o puntaseca. Cinco de estas piezas tienen por asunto cabezas de mujeres, seis muestran personajes de circo (esos cirqueros tan amados por Orozco). En otro grabado vuelve al tema obsesivo para él de los desocupados y dedica uno a un inválido. El último grabado que hizo, una aguatinta de sutiles efectos en grises, da la imagen burlona de un orador.

Orozco tuvo un uso diestro y certero del buril. Le dio a las líneas de diverso grosor una nitidez que se acoplaba estrechamente con su expresividad. Para Siqueiros, el dinamismo logrado por Orozco en sus estampas no fue alcanzado y mucho menos igualado por ningún otro grabador mexicano. Por la eficacia artística en el cultivo de una nueva objetividad, Siqueiros comparaba a Orozco con expresionistas como el austriaco Alfred Kubin y el alemán George Grosz. En el fluir de la ironía y el sarcasmo, siempre con espíritu burlón, Orozco no se negaba refinamientos propios de una aguda sensibilidad, aun cuando se introdujera en los más complicados pliegues de las pasiones, para condenar, escarnecer o demostrar conmiseración.

"El hombre de fuego".

El hospicio Cabañas

En noviembre de 1935 Orozco se dirigió a Guadalajara. José Guadalupe Zuno y Agustín Yáñez habían convencido al gobernador Everardo Topete sobre la importancia de que Orozco realizara unos frescos en la Universidad jalisciense, reducida a Dirección de Estudios Superiores, después de que un numeroso grupo reaccionario se había separado y había establecido la Universidad Autónoma. La Dirección de Estudios Superiores acababa de construir un nuevo edificio. Ahí Orozco consideró decorables, en el paraninfo (el salón de actos académicos) la cúpula, la pared del fondo del estrado y, al principio, se consideró la posibilidad de incluir la pared circular de atrás de la sillería.

El 10 de noviembre Orozco inició los frescos de la cúpula de 13.6 metros de diámetro interior y 5.5 metros de alto. Entonces se acentuó en el artista el gusto por informar al público sobre sus métodos de trabajo. Con su llegada, se constituyó la Unión de Pintores y Escultores de Jalisco. Esta Unión publicó un único número de un periódico. "Rojo" le pusieron por título. En la Sección Técnica del mismo, en tercera persona, Orozco hizo una relación del procedimiento aplicado en la cúpula:

"Al iniciar el trabajo se encontró que ya había sido enjarrada (aplanada) con anterioridad la bóveda de ladrillo construida sobre la estructura metálica. Este enjarrado consiste en una capa de mezcla de arena de mina, amarilla, de la usada comúnmente en la ciudad, y una cantidad de cal en proporción de tres a uno y de un espesor variable de dos a cinco centímetros. Hecha una inspección cuidadosa de este enjarrado, se encontró en magníficas condiciones de resistencia y de adherencia al ladrillo. Tanto el enjarrado como el ladrillo de la bóveda son sumamente porosos, condición favorable para la pintura al fresco.

"Las partes metálicas aparentes en la cúpula fueron recubiertas con tela metálica galvanizada para que ésta sostenga el enjarrado, usando en estos lugares una mezcla más rica en cal y que contiene una corta cantidad de cemento. El segundo enjarrado sobre el cual se pinta directamente es una mezcla de arena y cal en proporción de dos a uno y medio. La arena usada en este enjarrado es de río y perfectamente lavada para eliminar el barro y las materias orgánicas. El espesor varía de 2 a 5 milímetros. La arena ha sido cernida por una tela de alambre de un milímetro, lo cual produce una superficie bastante lisa y uniforme para pintar. La cal usada para este trabajo es de Huescalapa".

Orozco daba a conocer el análisis proporcionado por la compañía explotadora del material, así como los colores empleados: ocre claro, rojo de Venecia, rojo de la India, rojo de Pouzzoles, rojo de cadmio, tierra verde, óxido de cromio, azul cobalto, negro de vid. "Además de estos colores —agregaba—, han sido experimentados los colores naturales fabricados por un pequeño industrial de Jalisco con materiales extraídos del suelo de esta región. Dichos colores parecen ser tan buenos como los mejores importados de Europa".

También daba cuenta de la composición: "Ésta consta de cuatro grandes figuras. La estructura plástica total, en la cúpula, ha sido concebida esféricamente, no como una superficie que fuera la simple continuación hacia arriba de los muros sobre los cuales se asienta la cúpula.

En la misma página, Orozco hacía un resumen y un análisis de "La pintura duco o de automóvil aplicada al arte", que Siqueiros venía usando desde 1933. Orozco se interesó por las resinas sintéticas, y consideraba los pros y los contras de un material todavía perfectible: "Esperemos que la industria de los colores progrese a tal grado que pueda poner a la disposición de los artistas materiales bien conocidos, identificados y probados, aprovechando las valiosas cualidades de las resinas sintéticas, como son su rápido secamiento, su dureza, su resistencia a los agentes destructores y su flexibilidad".

De gran importancia es la *Nota* que aparecía al pie de la Sección Técnica: "El compañero José Clemente Orozco contestará en esta Sección todas las consultas de carácter técnico sobre la pintura que se sirvan hacerle, por escrito, los artistas y los lectores en general". Esta Nota demuestra la disposición de Orozco a comunicarse, a compartir. Su buen estado de ánimo, provocado por el regreso a la ciudad de su primera infancia, se reflejará tanto en su activa participación en la Unión de Pintores y Escultores de Jalisco, en la intensidad poética y el lirismo de la pintura de la cúpula.

Después de muchos esfuerzos y con cierto hostigamiento del Departamento de Bellas Artes de la Secretaría de Educación Pública, la Asamblea pudo realizarse del 23 al 29 de enero de 1936, gracias a la ayuda efectiva de la Alianza de Trabajadores de Artes Gráficas y del Sindicato Mexicano de Electricistas. Presidida por Fernando Gamboa, Carlos Mérida, Julio de la Fuente, Agustín Villagra y Jesús Bracho, la Asamblea definió la solidaridad con los artistas norteamericanos que preparaban su Congreso para el mes de febrero siguiente. Se discutió, además, la posición del artista ante los problemas del imperialismo, el fascismo, la reacción y la guerra. También se polemizó sobre crítica pedagógica, libertad de expresión, estabilización económica de los productores de arte, forma y contenido de la obra artística.

Ciento catorce escritores y artistas de los Estados Unidos habían firmado un llamamiento que encontró decidida respuesta en la LEAR, y se acordó enviar una delegación con suficiente peso, la cual quedó constituida por: David Alfaro Siqueiros, Rufino Tamayo, Jesús Bracho y Roberto Berdecio, que por entonces se encontraban en Nueva York, y a ellos se sumaron José Clemente Orozco; Luis Arenal y Antonio Pujol.

La situación en el campo de la cultura y de las artes era preocupante. El llamamiento de los estadounidenses señalaba la necesidad de preservar y desarrollar la herencia cultural, y denunciaba problemas profesionales concretos. Entre los más afectados por la crisis mundial se contaban los artistas; sus ingresos habían mermado peligrosamente; los comerciantes, los museos y los clientes privados habían cesado, desde hacía mucho, de proporcionar la miserable ayuda que en otro tiempo habían dado; la escala de salarios para los proyectos de arte patrocinados por el gobierno de los Estados Unidos estaba por debajo del salario mínimo fijado para los pintores de brocha gorda, es decir, estaba por debajo del nivel de subsistencia; los artistas se enfrentaban a constantes ataques a la libertad de expresión y ya se habían censurado o suprimido obras de arte en el Centro Rockefeller, en el Museo de Arte Moderno de Nueva York, en el municipio de Saint Louis, en la Torre Conmemorativa de San Francisco y en otras instituciones públicas. El fascismo avanzaba también dentro de los Estados Unidos y pedía que se investigara a maestros radicales, que se promulgaran decretos contra las libertades civiles, que se discriminara a negros y a ciertos extranjeros. "Tales amenazas —decía el llamamiento de los estadounidenses—, debe levantar a todo sincero artista e inducirlo a entrar en acción. Nosotros los artistas debemos obrar. Individualmente somos impotentes; a través de la acción colectiva podemos defender nuestros intereses. Debemos aliarnos con todos los grupos empeñados en la lucha común contra la guerra y el fascismo".

En el American Artists Congress se abordaron, entre otros temas: el encarcelamiento de artistas y escritores revolucionarios; los centros y galerías de arte municipales; el decreto federal de arte; la renta de cuadros; las escuelas de arte durante la crisis; el programa de acción de los museos en tiempo de depresión; los tópicos artísticos y las tendencias estéticas; la relación del contenido artístico con los medios y materiales; la crítica de arte.

El Congreso se inauguró el 14 de febrero en el Town Hall. Cuando Orozco se levantó para dar lectura a un breve mensaje, la concurrencia lo recibió de pie con estruendoso aplauso. El mensaje decía: "En nombre de los miembros de la Liga de Escritores y Artistas Revolucionarios de México, y en nombre de los miembros de la Unión de Pintores y Escultores de Jalisco, saludo calurosamente a este Congreso de Artistas Americanos. Sinceramente espero que se realice aquí la unión de todos los artistas americanos, sin distinción de credos artísticos o ideológicos. Es sólo a través del esfuerzo organizado, que se base en principios democráticos, que los artistas americanos, al igual que los mexicanos y los de todo el mundo, podrán ayudar a impedir los avances del fascismo y el peligro de una nueva guerra. Es sólo por este camino que podremos defender el proceso evolucionista de la cultura del mundo. Una vez más los saludo, artistas de los Estados Unidos, con la solidaridad fraternal de los artistas de México".

Las sesiones se desarrollaron el 15 y 16 de febrero en la New School for Social Research, donde él pintara seis años atrás, sobre todo en el tablero de la *Mesa de la fraternidad,* imágenes premonitorias de lo que ahora acontecía. Orozco asistió a todas ellas. Oyó cuando Siqueiros leyó: "La experiencia mexicana en las artes plásticas", ponencia preparada colectivamente y en cuya redacción habían intervenido Emilio Amero y Angélica Arenal. También participó en los festejos paralelos: una cena a los congresistas en casa de Alma Reed, donde habló Siqueiros; otra cena ofrecida a la delegación mexicana por la Mutualista Obrera Mexicana de Nueva York, donde habló Rufino Tamayo; un mitin preparado por la colonia latinoamericana de Nueva York en el Star Casino, donde hablaron Earl Browder, James Ford y Angélica Arenal; la misma colonia latinoamericana organizó un ágape para celebrar la victoria republicana en España.

El 28 de febrero Orozco pasó por la ciudad de México y de inmediato se encaminó a Guadalajara a continuar la decoración de la cúpula del paraninfo, adelantada ya en un cincuenta por ciento. A partir de entonces su presencia en las actividades artísticas de la LEAR fue más visible. Enviaba obras a las exposiciones preparadas por la sección de artes plásticas. Trabajos suyos se reprodujeron muchas veces a toda página en *Frente a Frente*, el órgano central de la Liga.

En el número de julio de 1937 de Frente a Frente se reproducía del mural de Dartmouth El sacrificio humano moderno, esa crítica sarcástica a la guerra que sacrifica a la juventud con todos los honores. En ese mismo número se informaba de la Regada de 463 niños españoles a Morelia. España invadida por los fascistas enviaba a México una porción de su futuro.

Además de los equipos, se pensó en la LEAR hacer exposiciones de grabado, con fines preponderantemente mercantiles, en ciudades de la frontera. A las dos cuestiones se refirió, con vaciladora irritación, Orozco, en carta del 23 de junio de 1936 a Jorge Juan Crespo de la Serna: "Respecto a la exposición de grabado le diré que me parece que no puede tener más objeto que venderle a los turistas que vienen a lo largo de la carretera de Laredo. Eso está muy bien que lo hagamos todos y cada uno en lo particular puesto que de algo tenemos que vivir, pero la LEAR es una organización político revolucionaria y se va a rebajar a la categoría de agencia de turismo, algo así como Zapata vendiendo sarapes y cazuelas. Si quieren exhibir las cochinas litos que he hecho, las pueden pedir prestadas a Misrachi o a Carolina Amor, pues aquí no tengo.

"Lo de las 'brigadas' o 'equipos' está peor todavía, pues claro que nadie va a vivir en esas condiciones y lo que pinten va a ser más y más malo cada vez. El arte necesita dinero, dinero y dinero, para buenos materiales, para vivir decentemente y tener tiempo de meditar y estudiar. Hecho como quien hace canastas o tortas compuestas, saldrán puras porquerías, aunque los artistas del 'equipo' tengan mucho talento y buena voluntad. Un muchacho que vino de México me contó que en vez de fresco están pintando con caseína y si esto les sale caro, la sustituirán por cola y acabarán por gises de colores. Lo de la competencia no es figura de retórica ni licencia poética, sino una amenaza muy cierta. Me han venido a ver muchos jóvenes pintores americanos que están deseosísimos de muros y edificios donde ensayarse, pues todos quieren ser *mural painters*. Vinieron dos de Oaxaca, en donde ya han pintado varios frescos y ya regresaron allá a seguir. Otro de Tlaxcala, en donde pintó un edificio para la Dirección de Educación y ahora va a seguir con Puebla. ¡Y ahora Alma me anuncia la llegada de muchos! ¡Si se tratara de Picasso o Chirico, en buena hora! Pero pintorcillos inferiores al más malo de los nuestros, da qué pensar. ¡Y varios de ellos ya son miembros de la LEAR! Todos ellos pintan por cualquier cosa y aun por nada poniendo ellos los materiales. ¡Quisiera que viera usted las fotografías de sus 'frescos'; asuntos 'revolucionarios' a la moda: indios con fusil, mujeres proletarias con niño flaco, etc., es decir: lo mismo que pinta la LEAR sin faltar ni el Hitler! ¿Y si quieren pedir más por metro cuadrado? ¡Antes de mucho habría más de 500 *mural painters* miembros de la LEAR! que nos pintarán hasta los excusados gratis con asuntos 'revolucionarios'. Aquí estuvo uno por varios meses y al que tuve que correr, pues me acatarró de tal manera que ya no podía trabajar".

Sobre las exposiciones en galerías comerciales también tuvo Orozco una posición muy clara. No satanizó el mercado artístico; pero su ubicación dentro del fenómeno del arte y su tráfico no fue mercantilista. Más aún: a medida que avanzó en su desarrollo profesional, menos le interesaron el juego y las normas del mercado. El 9 de abril de 1937, desde Guadalajara, le escribió a Inés Amor, dueña de la Galería de Arte Mexicano, fundada por su hermana Carolina: "Voy a permitirme hacerle la siguiente súplica: Que tenga la bondad de no volverme a incluir en las exhibiciones que usted organice, dentro o fuera de su galería, sin antes consultar conmigo, pues no siempre le conviene al artista exhibir sus obras al público. Yo creo que el artista tiene derecho sobre su propia personalidad y sus propias obras, es decir, tiene el derecho de control sobre su propio trabajo. Sólo él mismo tiene derecho de resolver cuándo y cómo exhibir sus pinturas y en compañía de quién. Dificultades del mismo género he tenido con personas amigas (Se refería, seguramente, a Alma Reed), con resultados fatales para ellas y para mí. La pintura no es como la literatura que, una vez saliendo de las prensas, queda a merced de todo el mundo, y aún así, está sujeta a ciertas limitaciones. En el caso particular, no me conviene, por ningún motivo, seguir exhibiendo mis obras en compañía de ciertos pintores locales, sea dentro o fuera del país.

"También le suplico se sirva decirle al señor Velázquez Chávez se abstenga de reproducir con sus escritos cualquiera de mis obras sin mi consentimiento. Las listas alfabéticas que hace, mezclando nombres de verdaderos artistas con los de otros que están muy lejos de serlo, son verdaderamente humillantes. En todo caso, esto no tiene realmente importancia pues este señor no sabe lo que dice".

Orozco hacía alusión al *Índice de la pintura mexicana contemporánea*, publicado por Agustín Velázquez Chávez en 1935. Al mismo autor confió la Galería de Arte Mexicano (situada entonces en Abraham González 66) el texto para el folleto de presentación de la muestra colectiva de marzo de 1937, donde Orozco estuvo representado con el óleo "Pulquería". Velázquez Chávez no era muy riguroso en lo concerniente a nombres y fechas de obras, instituciones y acontecimientos, inexactitudes que entonces y siempre irritaron sobremanera al pintor. Tuvo indulgencia, sí, para los errores conceptuales producidos durante un sincero esfuerzo de análisis del arte y sus circunstancias.

A su regreso a Guadalajara se encontró con que el nuevo edificio universitario se iba a destinar a Palacio Legislativo. Esta decisión no alteró sus planes de trabajo. Terminó la cúpula. En ritmos eslabonados, construyó símbolos sobre la humana capacidad para la introspección, el pensamiento científico, la creación poética, la capacidad de ordenamiento de lo circundante. La complejidad espiritual quedó sintetizada en el hombre de los cinco rostros: el sabio. Como el ser humano se ha de conocer también en su práctica científica, Orozco significó esto con un cadáver sometido a trepanamiento y disección, representado en el casquete con acusado escozor evocador de composiciones de Andrés Mantegna. En los otros gajos del casquete pintó al educador, al trabajador y al rebelde. Con estas figuras expresó la glorificación de la ciencia, la educación, el trabajo, más el carácter marcadamente revolucionario de la época. Le 'preocupaba' que tanto el tema como su interpretación simbólica fueran sencillos, claros y comprensibles, porque la obra monumental debe ser así.

Pero el hombre de Orozco no es, en su poética pictórica, unidimensional. Perseverante antidogmático, exaltó en la cúpula del aula magna la múltiple y concreta pluralidad de la condición humana. La disposición tonal de los grises, rojos y rosas, junto con el dinamismo óptico de las figuras, acentuó con gran aliento lírico un sentido de elevación.

En carta del 28 de enero de 1936 al gobernador Topete, explicaba que después de armar el andamio adecuado se habían hecho los preparativos necesarios para la pintura al fresco, consistentes en mejorar la capa del estuco original, y se habían tomado todas las precauciones para que la capa correspondiente a las tareas del fresco garantizaran su perdurabilidad; se cuidó el apagado de la cal, el lavado de la arena de río y las proporciones de la mezcla. Le informaba cómo inmediatamente procedió a dibujar los cartones. A la fecha de la carta llevaba pintados 140 metros cuadrados de un total de 280, y había recibido dos mil pesos de los ocho mil convenidos como pago para esa parte del trabajo, sin considerar materiales, albañiles y auxiliares. Pero aún no se fijaban los honorarios para el muro posterior de 150 metros cuadrados, cuyo tema habría de derivar del de la cúpula. Aconsejaba que el muro semicircular del fondo de la sala no fuera decorado sino pintado en gris parejo para aumentar la armonía del todo.

Con detalle le explicaba al gobernante que había utilizado los excelentes colores franceses de la marca Lefranc, los mejores que se podían obtener en México. Al iniciar el trabajo se había contado con una dotación cuyo valor era de 270 pesos y para terminar la cúpula harían falta 180 pesos más de los mismos colores. Previendo reacciones, le garantizaba a sus mecenas que el mural del fondo saldría más económico por tratarse de una pared vertical, y que la ejecución de la obra había despertado un vivo interés entre los jóvenes pintores de Guadalajara por la pintura monumental, con la que sólo es posible familiarizarse ayudando en el correspondiente trabajo. Destacaba como valiosos colaboradores a León Muñiz, Francisco Sánchez Flores, Jorge Martínez y Francisco Rodríguez, y terminaba asegurando que ya existía en Guadalajara una escuela pictórica propia, tan digna como cualquiera otra del país.

A fines de 1936 había terminado el muro del fondo del estrado, desarrollando el tema *La falsa ciencia y el problema humano*, continuación indudable, para las circunstancias mexicanas, del *Alma Mater* de Dartmouth. Quizá por algún defecto en los materiales, o por la humedad habitual en las paredes de reciente construcción, el fresco se manchó y Orozco decidió rehacerlo. La primera versión, de la cual el fotógrafo jalisciense Alvaro Arauz, amigo de Orozco, alcanzó a tomar algunas placas, difiere de la segunda, iniciada en febrero de 1937 y concluida el 12 de marzo, en cuatro semanas y media de intenso trabajo. Sobre los cambios le escribe a Cardoza y Aragón el 5 de marzo: "Me alegro de haberlo vuelto a pintar pues creo mejoró mucho: más unidad, mejor color, más claro el tema, más 'hecho'. Muchos detalles han variado".

La pared del fondo y las secciones laterales son, en tanto imágenes, la contrapartida de la cúpula. En ellas, aparece la lucha del pueblo exasperado por el hambre, la corrupción y los liderazgos espurios. La composición ácida y violenta de Orozco evocaba el grotesco arte del medioevo por su intención moralizante y su protesta erizada de sátira, y se hermanaba con el barroco en tanto no rehuía lo feo, lo macabro, lo dramáticamente sangriento. Como en la pintura barroca de siglos anteriores, Orozco logra efectos de gran impacto, por medio de las asimetrías y los escorzos muy acusados, violentos a veces.

En artículo publicado en marzo de 1936 en la Revista de Cultura Moderna U. 0., de la Universidad Obrera de México, Luis Cardoza y Aragón señalaba que en la obra de Orozco, junto a la fuerza, la dulzura y la gracia, se daba la ferocidad, una ferocidad engendradora de belleza que, al ser contemplada, despertaba sentimientos de horror. "A veces hace pensar en que existe cierta truculencia, cierto énfasis y algo así como un preciosismo del horror decía Cardoza y agregaba: "La atrocidad de Orozco tiene algo muy particular que nos recuerda el barroquismo sangriento de nuestras tribus primitivas. Hay algo formal y algo intensamente espiritual, cierto sadismo desesperado y amargo que se me antoja que viene de muy lejos". Veía en el arte de Orozco, como en las máscaras antiguas, un "carácter violento, elocuente, torturado y fatal, nacido sobre las rodillas de la muerte".

Carlos Mérida, muy activo como crítico en aquel entonces, escribió sobre el paraninfo: "... las masas hambrientas —al lado derecho del mural— en actitud de protesta airada contra los falsos educadores, contra los que mixtifican, en su provecho, la enseñanza. Los desnudos de este mural son extraordinarios ejemplos del arte de Orozco y las manos de las figuras —como todas las que ejecuta el artista— nervudas, incisivas, de contornos definitivos, síntesis de expresión. En el pequeño muro lateral izquierdo vemos Los líderes, los falsos líderes, que encuentran en la pintura de Orozco su índice de fuego, y en el muro opuesto las víctimas de aquéllos".

No había disminuido en Orozco el cuidado por divulgar su trabajo por medio de la fotografía. En agosto de 1937 envió reproducciones de sus primeros frescos en Guadalajara para la exposición inaugural de la Galería de Arte de la Universidad Nacional Autónoma, creada por el Departamento de Acción Social, jefaturado por Salvador Azuela durante la rectoría de Luis Chico Goerne.

Los propósitos de esa galería coincidían con los de Orozco, pues se apartaba de fines mercantilistas, aunque hacía valer los derechos del artista de manera afirmativa al favorecer desinteresadamente la libre expresión artística y dar a conocer la obra con decoro, dignidad y honradez.

En el panorama pictórico de ese momento, el poeta José Gorostiza distinguía dos grupos. Por un lado los dos grandes maestros de la pintura mural —Diego Rivera y José Clemente Orozco— y por el otro los que él denominaba "pequeños maestros" para diferenciarlos de aquéllos: Federico Cantú, Julio Castellanos, Jesús Guerrero Galván, Agustín Lazo, Carlos Mérida, Roberto Montenegro, Carlos Orozco Romero, Manuel Rodríguez Lozano, Antonio Ruiz, David Alfaro Siqueiros, Rufino Tamayo y Tebo. A estos pintores se debía, según Gorostiza, que la pintura mexicana hubiera asumido, como propia, la conciencia de la moderna pintura occidental. Fue al entrar en contacto con los propósitos fundamentales de la pintura europea que la nueva pintura de aquí se volvió más mexicana. Este proceso fue iniciado —aceptaba el poeta Gorostiza— por Rivera y por Orozco.

Al terminar los frescos del paraninfo fue invitado Orozco a pintar la antigua capilla del hospicio fundado a fines del siglo XVIII por Juan Cruz Ruiz de Cabañas. El extraordinario edificio neoclásico había sido diseñado por el escultor y arquitecto valenciano Manuel Tolsá (1757-1816). Mientras sus ayudantes reparaban y preparaban las viejas paredes, Orozco pasó una temporada en la ciudad de México. Se reunió con amigos, asistió a espectáculos, no pintó cuadros. A fines de septiembre de 1937 regresa a Guadalajara y decide cumplir primero el compromiso de pintar los muros y bóveda de la gran escalera del Palacio de Gobierno, bello edificio de la segunda mitad del siglo XVII.

Aquí el discurso visual se encadena estrechamente con el del paraninfo y tiene como sustento la convulsa situación nacional e internacional. Ante las presiones del imperialismo y de la reacción interna, en ese periodo de ascenso y triunfo de las fuerzas nazi-fascistas en la escena europea, el gobierno de Lázaro Cárdenas se apoyaba en las fuerzas democráticas para desarrollar acciones liberadoras de alcance nacional e internacional. El movimiento liberador antimperialista por él encabezado, se cimentaba en la reforma agraria radical, en un programa democrático en la educación, en un respeto irrestricto al derecho de huelga, en una libertad de expresión tan amplia que la mayor parte de la prensa se sostuvo dentro de una posición ultrarreaccionaria.

Orozco observaba con escepticismo las luchas intestinas al interior del proletariado y otros sectores populares. Entendía —y así lo expresó en los murales de la escalera del Palacio de Gobierno en Guadalajara—, que esas luchas intestinas derivaban de las presiones y manipulaciones que sobre el pueblo ejercían los sectores retrógrados dominantes: clero oscurantista y militarismo dictatorial. La figura heroica de Miguel Hidalgo cómo libertador enarbola una tea para encender la definitiva revolución de independencia en contra de toda opresión interna o proveniente del exterior. El pintor pareciera no confiar en la capacidad de las ideologías y los partidos políticos, conformados por ellas, para ayudar al pueblo a salir de la postración y el caos.

Las feroces luchas intestinas de los mexicanos quedan enmarcadas entre un nudo de cruces, mitras, bayonetas y serpientes, por un lado. El fantasma de la religión en alianza con el militarismo. Del otro, el *Circo político* (llamado también *Carnaval de las ideologías*) donde un conjunto de payasos disfrazados de prominentes y reconocibles líderes de la izquierda y la derecha, o sea, el socialismo y el nazifascismo, hacen juegos malabares con hoces, fascios, cruces, martillos, banderas rojas y cruces gamadas.

Los militantes de agrupamientos democráticos o radicales no comulgaron con el escepticismo de Orozco, ni con su racero crítico que no dejaba títere con cabeza, y ponía a bailar la misma danza a Daladier y a Zapata, a Mussolini y a Stalin, al banquero y al burócrata. Con tambores y violines, Orozco había hecho burla de cualquier lucha política organizada. Pareciera que para los pobres y los humillados de este mundo no hubiera alternativas.

También Rivera dio su parecer sobre el *Carnaval de las ideologías*: "Este gran pintor (Orozco) cuando estaba cerca de sus compañeros del Partido Comunista tenía un contenido en sus obras de gran trascendencia revolucionaria mexicana. Al alejarse de ellos se llenó de confusión y llegó a Guadalajara a pintar en un gran muro del Palacio de Gobierno 'los payasos', en donde puso a Hitler haciendo equilibristerías con la swástica, y a Stalin haciendo juegos: malabares con brazos de maniquíes que empuñan hoz y martillo, mientras Marx en figura de gnomo baila sobre un tomo enorme de *El capital*".

Por su parte, Carlos Mérida opinó que la unidad de la decoración de la escalera del Palacio de Gobierno es perfecta, construida sobre diagonales, que Orozco maneja con sin igual maestría. "El artista intuye y crea sus propias reglas de composición, reglas a las cuales no puede encontrárseles paralelo. Advertimos una unidad admirable entre el muro y la bóveda y la bóveda misma. Ejemplo de tal maestría es la estructuración del mural izquierdo cuyo eje —la cruz— se apoya perfectamente en el soporte de la bóveda. Ya en la bóveda, la mano del potente retrato sirve de unión a toda la decoración".

"En la bóveda luce majestuoso el retrato del padre de la Independencia mexicana, el cura don Miguel Hidalgo y Costilla, a quien vemos con la tea en la mano, enseñando aún el camino, al cabo de los años, la mano izquierda en actitud de admonición. Sobre la encendida coloración de la parte de la bóveda que da a los arcos del segundo piso, vemos a Orozco lleno de unción, lleno de humanidad, en esas figuras que titula Parias, y que hablan, hablan, sin que aún se les oiga. ¡Cómo son bellos estos desnudos de carne macerada y doliente, cómo son expresivos!

El doctor Alvar Carrillo Gil conoció a Orozco en 1936 y le impresionó como una persona muy simpática, oculto tras una máscara de ironía y tímida frialdad. El aspecto taciturno desaparecía en la convivencia amistosa, aunque no brindaba su amistad fácilmente. Amigo hondo y sincero, gozaba conversando, mostrando sus trabajos y explicando sus proyectos. Era desconfiado y brusco con quienes no le agradaban. Gustaba del chiste y la frase ingeniosa. Vestía con gran modestia. No pasaban desapercibidas su miopía y su deficiencia auditiva. De estatura mediana, muy delgado, ligeramente encorvado, moreno, de escasa cabellera. Habitualmente hablaba en voz baja, aunque a veces su voz subía de tono como suele pasar con las personas parcialmente sordas. A menudo se llevaba la mano al oído derecho e inclinaba la cabeza para poder oír. Caminaba con cierta rapidez aunque con la desconfianza del miope en alto grado. En la comida y la bebida era parco. Dos o tres tragos lo ponían contento y locuaz. Tenía sus propias ideas sobre las dietas y repugnancia por los alimentos lácteos. Trabajaba sin descanso, febrilmente, por encima de sus fuerzas, hasta llegar a la depresión física del surmenage y la consiguiente depresión nerviosa. No creía mucho en la medicina, pero cuando se sentía mal acudía con los médicos y seguía sus consejos.

Para enero de 1938, Orozco entregaba toda su energía y todo su tiempo al complejísimo proyecto pictórico de la ex capilla del Hospicio Cabañas.

Ahí pintó más de 1,200 metros cuadrados en la cúpula, el anillo, las pechinas, ocho pequeñas bóvedas, catorce paneles y otros pequeños fragmentos para enlazar el conjunto. La base de la cúpula está a 21.12 metros y alcanza una altura total de 25.82 m., sostenida por una doble fila de 32 columnas dóricas.

En 1955 las 32 columnas debieron ser repuestas en un alarde de técnica ingenieril. Gatos hidráulicos de gran potencia fueron sosteniendo parcialmente la cúpula mientras se retiraban las viejas columnas y se sustituían con nuevos cuerpos de cantera. La cúpula se había hundido por una mala disposición de las piezas de cantera. Los trabajos de restauración de las pinturas, dañadas por el trabajo de la arquitectura, fueron dirigidos por el restaurador Guillermo Sánchez Lemus.

En el arranque de la cúpula, en grises pétreos, están representados en figuras humanas: el mar, el aire y la tierra. El rojo enciende su tonalidad en ritmo ascendente para representar al fuego como hombre llameante que no entrega el fuego, como Prometeo, sino que es arrebatado, poseído por las llamas de los más ascendrados ideales.

En las pinturas del Hospicio Cabañas (convertido desde 1981 en Centro Cultural Cabañas), el todo está conformado por partes que conservan un sentido autónomo. De un lado el dios de la guerra, en su opuesto el hombre devorado por los dioses creados por él mismo. En el cuerpo principal se suceden, de un lado, Felipe II y la cruz, los caballos de la Conquista y el franciscano. Del otro, el caballo mecánico, el tanque guerrero, escenas guerreras, Cortés y la Victoria. Un conquistador mecánico, hecho de hierro y pernos. Escenas del mundo aborigen se encuentran de un lado y del otro en los medios puntos de la bóveda de entrada, mientras que las figuras de El Greco y Cervantes, más los hombres mecánicos, aparecen en los medios puntos del cuerpo principal. El presente se filtra en el pasado por medio de referencias simbólicas: conquista quien posee los instrumentos, aparatos y armamentos más sofisticados.

En los tableros de la parte baja se suceden: la manifestación presidida por un jefe de tribu, el grupo de tribunos o demagogos pronunciando discursos simultáneamente, el acaudalado obispo Juan Cruz Ruiz de Cabañas y Crespo con las mujeres que solicitan ayuda, los jinetes del Apocalipsis, Guadalajara y la torre de la Iglesia de San Felipe, la rueda y un escudo colonial. Sobre el medio punto de la puerta de entrada, Orozco pintó a los misioneros de la Conquista.

Justino Fernández leyó de la siguiente manera el contrapunto temático en el primer nivel: lo banal, lo trágico, lo científico, lo religioso, lo desconocido, lo conquistado, el despotismo, la caridad, la masa mecanizada, la humanidad doliente, los dictadores, los demagogos.La coloración es en ciertas secciones de la ex capilla fuerte y hasta ríspida en sus combinaciones de verdes y naranjas. Estas vibraciones se atemperan con tableros en grises para conservar en todo momento el efecto ascensional.

El hospicio Cabañas.

Del mural al taller

De 1935 a 1939 no organizó Orozco un taller personal en Guadalajara. La entrega total de su tiempo a los murales se lo impidió. No contando con un sitio apropiado casi no pintó, en ese lapso, obra de caballete. Son excepciones el autorretrato de 1938 y el retrato, del mismo año, de su esposa Margarita Valladares, quien fuera su modelo para algunas figuras femeninas de la Escuela Nacional Preparatoria, y volvería a serlo para la figura alegórica de la patria en la Biblioteca Gabino Ortiz, de Jiquilpan. Por lo demás, los honorarios recibidos por parte del gobierno jalisciense no hubieran alcanzado para un gasto mayor. De ahí que entablara relaciones comerciales con Inés Amor, la directora de la Galería de Arte Mexicano. El se comprometía a realizar obra para esa negociación y ella le adelantaría dinero. Con este dinero podría comenzar a levantar un estudio acorde a sus necesidades en la ciudad de Guadalajara, donde deseaba residir de manera permanente.

El 20 de enero de 1938, le escribe a Inés Amor agradeciéndole un adelanto de mil pesos y agrega: "Hasta ahora sólo he estado haciendo el trabajo de los muros pues no contaba con un estudio apropiado para hacer pintura chica y por eso tuve la idea de emprender la construcción de dicho estudio, el cual está prácticamente terminado. La semana entrante lo ocuparé y podré usarlo.

"Tengo grandes deseos de pintar cuadros y creo que ahora sí podré hacerlo. A lo que no estoy dispuesto es a 'exhibir', sea cual fuere la forma y eso por muchos motivos. Algunas personas creen que, por lo menos, las 'exhibiciones' son un reclamo comercial para vender las obras, pero los hechos demuestran que desde este punto de vista son un fracaso. Me refiero, por supuesto, a las 'exhibiciones' pedantes que se acostumbran hoy, con catálogo, cocteles, chismes y necedades de los llamados 'críticos'. Quizá para cierta mercancía sean buenas esas 'exposiciones', pero el buen gusto no tiene nada que ver en ello. Ya usted se habrá dado cuenta de todo esto.

"Sé que tiene usted una nueva galería (se refiere a la instalada en la calle Milán número 18) y la felicito, pues creo estará mejor que la otra.

"En cuanto tenga yo algo nuevo de pintura, se lo mandaré. Necesito vender pronto algunas obras, pues me he quedado con algunos compromisos a causa de la construcción del estudio".

La carta a Inés Amor del 15 de febrero de 1938, vuelve a echar luces sobre el criterio y la experiencia de Orozco con respecto al mercado del arte: "Me parecen acertados los precios que usted ha fijado a las obras que le he mandado, teniendo en cuenta que son vendidas en México, pues en el extranjero alcanzarían precios mayores.

"El hecho de haber solicitado un anticipo de dinero es excepcional. Lo usual será que le mande mis producciones en comisión y si a usted le parece, ésta será de un 25%. La comisión que usted sugiere de 50% para el caso de adelantar el importe, me parece alta. Si usted está de acuerdo podríamos fijarla en 40%.(...)

"A causa del grave abuso que ha sido cometido con mis litografías en Nueva York, creo que lo más conveniente es retirarlas de la venta por algunos años y por tanto le suplico que me devuelva las que tiene usted en su poder.

Mi esposa pasará a recogerlas a su regreso a México, dentro de una semana.

"También le ruego que me dé un informe confidencialmente. Sé por amigos de Nueva York que anda por ahí una exhibición copiosa de 'pintura mexicana' y en ella hay incluidos varios cuadros míos viejos. ¿Es la misma exhibición que usted llevó, manejada por otras personas?

"Parece que en los EE.UU. continúo siendo objeto de una explotación desenfrenada y deseo informes para ver cómo me defiendo".

Su carta a Inés Amor del 16 de marzo revela que el fin de la relación con Alma Reed no fue amistosa, a causa justamente de los problemas derivados del comercio de la obra artística: "Lo de los dibujos y litografías de la 'American Book' no lo entiendo. Le ruego me diga en qué consiste esa situación intolerable que usted dice. Lo único que sé es que la señora Reed se los vendió a la 'Am.Book' y usted los tiene ahora en comisión. Eso es todo. He tratado por todos los medios de que la señora Reed me devuelva mis obras, pero jamás lo he conseguido. Hace con ellas lo que le da la gana, las exhibe y las vende sin mi consentimiento y sin tener derecho para ello; ¿qué control puedo tener en esas condiciones? Sería injusto que me pusiera a comprar lo que me pertenece y además no tengo dinero para ello".

El pintor vive de su obra y esto queda rubricado por un breve párrafo en la carta a Inés Amor del 15 de julio de 1938: "Por tener necesidad de cubrir un fuerte compromiso a principios del mes entrante, he pintado dos cuadros para su venta inmediata. Con este fin Margarita estará allá la semana entrante con dichos cuadros y debo saber si está usted dispuesta a encargarse de la venta".

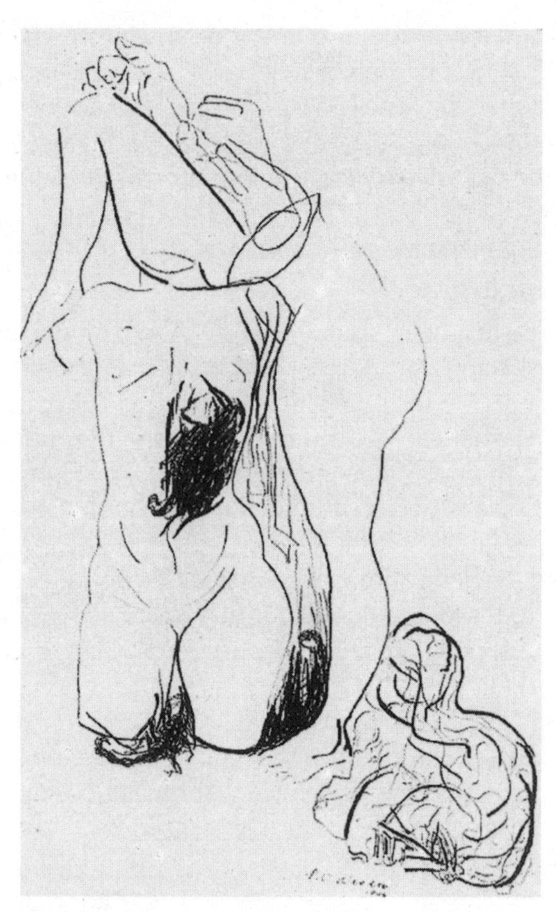

"Torzo, cabeza y piernas", 1945.

Alegoría de la mexicanidad

Terminados los grandiosos trabajos en Guadalajara, Orozco vuelve a instalarse en la ciudad de México, donde vigila la construcción de su casa y taller de la calle Ignacio Mariscal 132, proyectada a principios de 1939 por el arquitecto Luis Barragán y edificada durante 1940. Los compromisos adquiridos con Inés Amor lo llevan a preparar su primera exposición en la galería de Arte Mexicano, inaugurada el 1 de marzo de 1940, con un contenido como a él le interesaba y satisfacía: enseñar el proceso, el tránsito a la obra monumental. Cuatro estudios para la New School for Social Rescarch, tres de Dartmouth College, ocho de la Universidad de Guadalajara, cuatro de la escalera principal del Palacio de Gobierno, diecinueve del Hospicio Cabañas, doce estudios al carbón, cuarenta al óleo, temple y acuarela, y sólo tres cuadros de 1940; uno de ellos era el retrato de Luis Cardoza y Aragón. La estima de Orozco por el escritor e incansable estudioso de su obra se hace evidente en este óleo de excelente calidad pictórica y expresiva.

En la revista Romance del 15 de marzo de ese año 1940, una crónica sin firma, seguramente del crítico y pintor español Ramón Gaya, reconocía en la de bocetos una exposición del mayor interés para los que sabían apreciar el valor de la pintura de Orozco, y su desarrollo de un estilo de pintura muy mexicana. "Frente a la facilidad, al surrealismo 'al alcance de todos' —decía—, Orozco ofrece una salida segura, fuerte, viva".

Orozco de quien, a partir de esa fecha, sería otro de sus amigos más cercanos: el historiador y crítico de arte Justino Fernández. Después de un rechazo inicial por el vigoroso expresionismo orozquiano, Fernández pasó al análisis pormenorizado y entusiasta de su obra. Para nada son prescindibles sus libros sobre la obra del jalisciense.

A principios de 1940 Orozco se dispuso a cumplir un compromiso adquirido en 1938 con el Presidente Lázaro Cárdenas, en los días en que realizaba los murales del Hospicio Cabañas. El Presidente Cárdenas consideraba que en la pintura, la Revolución Mexicana había encontrado una resonancia justa y que "la cultura sin un concreto sentido de solidaridad con el dolor del pueblo, no es fecunda, es cultura limitada, mero adorno de parásitos que estorban el programa colectivo. El pensamiento del hombre se enaltece cuando lo anima la búsqueda de la felicidad para el hombre en su lucha por transformar la naturaleza".

El mandatario le había solicitado que decorara las paredes de la Biblioteca Gabino Ortiz, instalada en una antigua capilla, recintó pequeño y sencillo. Orozco aplicó también aquí el concepto de unidad en la diversidad. Cada una de las diez partes que integran esta obra es una entidad visual cerrada en sí misma, pero abierta a un encadenamiento común. Después de campesinos reprimidos por guardias rurales, combates, fusilamientos y manifestaciones, la patria reintegra su perfil, se reacomodan sus símbolos. Escenas de la Revolución fueron dibujadas en negro sobre blanco, con trazos escuetos, cortantes, de austero dramatismo, en ocho paños laterales. Sólo dos llevan detalles en rojo. Uno de ellos es el tablero de *La maza*, versión depurada y aún más crítica de la litografía *Las masas* de 1935.

En el ábside de la ex capilla y sobre la puerta de entrada, el sarcasmo de Orozco se descarga de violencia. Convertido en burla, sustenta la simbólica *Alegoría de la mexicanidad*. La patria quedó representada por una serena mujer construida con esas formas abizantinadas a las que era tan afecto. La mujer cabalga en el lomo de un poderoso tigre. No la inmutan ni los nopales espinosos extendidos a sus plantas, ni la feroz batalla entre un águila, una serpiente y un feroz jaguar que se eriza en un gran salto. A su dignidad no la manchan ni ángeles ni demonios de juguete; tampoco las tres ridículas guerrilleras coronadas, simbólicas de una ley, una libertad y una justicia prometida pero no cumplida.

Los colores de una gran bandera mexicana cubren el fondo y hacen contraste, en el ánimo del observador, con una pequeñita banderola con los colores nacionales, sostenida sobre la puerta de salida por dos querubines viejos y deformes.

Por momentos, en ciertas cabezas de caballos y en el retorcimiento doloroso de algunas figuras, Orozco pareciera citar voluntariamente algún paisaje del Bombardeo de Guernica de su admirado Picasso. Orozco había visto ese gran cuadro en el Museo de Arte Moderno de Nueva York cuando dejó por breve temporada los frescos de Jiquilpan para trabajar, a la vista del público de ese museo, los seis tableros del *Dive Bomber* (*El bombardero de picada*). Ese fue su aporte a la exposición 20 Siglos de Arte Mexicano. El *Guernica* había ingresado al Museo de Arte Moderno en noviembre de 1939, después de un recorrido por varias ciudades de los Estados Unidos, como parte de la campaña del American Artists Congress en pro de los refugiados españoles.'

Dive Bomber se compone de seis tableros intercambiables de tres metros de alto por uno de ancho. El conjunto conserva una cierta similitud con la sección del militarismo en la Biblioteca Baker de Dartmouth. Cabezas como máscaras, cadenas, pernos, tornillos y las extremidades inferiores de un hombre cayendo, están tratados de manera sintética, casi abstracta. También puede relacionarse con los basureros de la historia, como el de la Preparatoria.

En los últimos diez años Orozco había especulado sobre la inserción de planos y el impacto de los consiguientes efectos dinámicos en el espectador. En *Dive Bomber* puso a prueba la versatilidad de una geometría no utilitaria, no significante por sí misma. Propositivamente, Orozco hizo una pintura sencilla y enigmática a la vez, seguramente una de las menos argumentadas, y para que no hubiera dudas a ese respecto escribió un texto acorde, publicado por el Museo de Arte Moderno en un folleto: *Orozco, "explains"* (Orozco "explica"). Escrito de mucha validez intelectual, un auténtico manifiesto de estética contemporánea, comprendida la técnica pictórica; una elocuente lección para aprender a mirar, ver, percibir, conceptualizar:

"El público quiere explicaciones sobre una pintura. Lo que el artista tuvo en mente cuando la hizo. Qué es lo que pensaba. Cuál es el título exacto del cuadro y qué es lo que quiere decir con ello. Si está glorificando o maldiciendo. Si cree en la democracia.

"Al ir a la Ópera Italiana le dan a uno un folleto con el cuento completo de por qué Rigolleto mata a Aída al final de una francachela con *La Bohemia, Lucia di Lammermour* y *Madame Butterfly*.

"El Renacimiento italiano es otra ópera maravillosa, llena de matanzas y francachelas, y el público también recibe miles de folletos con la más completa y detallada información sobre todas las cosas y las personas de Florencia y Roma.

"Y ahora el público insiste en conocer el argumento de la moderna ópera pintada, si bien no italiana, por supuesto. Le parece natural que cada cuadro debe ser la ilustración de una historieta o de una tesis, y quiere que le cuenten la divertida biografía y los ingeniosos dicharachos de los personajes en el cuadro-escenario, las altas y bajas del héroe, del villano y del coro. Muchos cuadros, en efecto, dicen todo eso y más, y aun incluyen citas de las Sagradas Escrituras y de Shakespeare. Otros tratan de las condiciones sociales, la perversión del mundo, la revolución, la historia y semejantes temas. Son frecuentes aún los cuadros de alcoba con la *femme a la toilette*.

"De improviso Madame Butterfly y su amigo Rigoletto desaparecen del cuadro-escenario. También se han ido las tristes condiciones sociales. Para asombro del público, el telón se levanta y nada hay en el escenario sino unas cuantas líneas y cubos. Lo abstracto. El público protesta y exige explicaciones y se le dan explicaciones, gratis y generosamente. Rigoletto y las condiciones sociales aún están allí, pero transformados en abstracciones, revestidos de cubos y conos, en una parranda surrealista con *La Bohemia*, *Lucia di Lammermour* y *Madame Butterfly*, ¿significado?, ¿nombres?, ¿sentido?, ¿historietas?, bueno, inventémoslos después. El público se rehusa a VER la pintura, quiere OÍR la pintura. No les importa el espectáculo mismo, prefieren ESCUCHAR al criticón de afuera. Conferencias gratis cada hora para los ciegos, a través del museo. De este lado, por favor.

"El artista debe ser sincero", dicen. Es verdad. Debe ser sincero. El actor en el escenario se suicida para emocionar o atemorizar al público. El actor siente exactamente lo que siente un suicida y actúa de la misma manera, excepto que su pistola no está cargada. Es sincero como un artista solamente. ¡La próxima semana tendrá que representar a San Francisco, a Lenin o a un vulgar hombre de negocios, muy sinceramente!

"'La técnica de la pintura se encuentra todavía en su infancia, después de diez mil años de civilización, o lo que sea. Hasta los niños de colegio saben este hecho, ya que existe a mano abundante literatura sobre el tema.

"'Parece increíble que la ciencia y la industria no hayan proveído aún al artista con mejores materiales de trabajo. Ningún adelanto a través de los siglos. La gama de colores asequibles es todavía limitada en extremo. Los pigmentos no son nada permanentes, no obstante las quejas de los manufacturereros. Las telas, la madera, el papel, los muros están expuestos a continua destrucción por la humedad, los cambios de temperatura, las reacciones químicas, los insectos y los microbios. Los aceites, barnices, cera, gomas y temple, son sustancias sucias que se oscurecen, cambian, se agrietan y desintegran todo el tiempo.

"La pintura al fresco está libre de inconvenientes de aceites y barnices, pero el muro sobre el que se ejecuta la pintura está sujeto a muchas causas de destrucción, tales como el mal uso de materiales de construcción, mal planeamiento, humedad del suelo o del aire, temblores, bombardeos, tanques blindados o buques de guerra, exceso de magnesia en la cal o en el polvo de mármol, falta de cuidado en raspaduras o desconchaduras, etcétera. Así, el fresco debe ejecutarse sólo sobre muros que estén tan libres como sea posible de todos esos inconvenientes.

"No hay regla para pintar al fresco. Cada artista puede hacer lo que guste, en tanto que pinte tan delgado como sea posible y sólo mientras la mezcla esté fresca, es decir, de seis a ocho horas desde el momento en que es aplicada. Después, nada de retoques de cualquier clase. Cada artista desarrolla su propia manera de planear su concepción y de transferirla a la mezcla fresca. Cada método es tan bueno como el otro. O bien el artista puede improvisar sin previos diseños".

Después del discurso sobre técnica, fruto de una experiencia sin pausas de treinta años de reflexión y de estudio; después del shakesperiano monólogo sobre lo efímero del material y sus soportes, las explicaciones daban una no explicación, o una antiexplicación de *El bombardero de picada*, o *Seis tableros intercambiables*.

"Una pintura es un poema y nada más. Un poema hecho de relaciones entre palabras, sonidos o ideas. La escultura y la arquitectura son también relaciones entre formas. Esta palabra formas incluye color, tono, proporción, línea, etc.

"Las formas en un poema están organizadas necesariamente de tal suerte que el todo trabaja como una máquina automática, más o menos eficiente, pero apta para funcionar de una cierta manera, para mover en una cierta dirección. Tal máquina-motor pone en movimiento: primero, nuestros sentidos; segundo, nuestra capacidad emocional; y, al fin, nuestro intelecto. Una máquina eficiente y bien organizada podrá mover en diferentes sentidos. Puede ser simplificada a sus últimos elementos o estructura básica, o puede ser desarrollada en un vasto y complicado organismo trabajando bajo los mismos principios básicos.

"Cada parte de una máquina puede ser por sí misma una máquina que funcione independientemente del todo. El orden de las interrelaciones entre sus partes puede ser alterado; mas, aquellas relaciones se mantendrían iguales en cualquier otro orden; e inesperadas o esperadas posibilidades pueden aparecer. Supongamos que cambiásemos el presente orden de los elementos plásticos de la Capilla Sixtina.

"Un linotipo es una obra de arte, pero un linotipo en acción es una aventura extraordinaria que afecta las vidas de muchos seres humanos o el curso de la historia. Unas cuantas líneas de un linotipo en acción pueden hacer comenzar una guerra mundial o pueden significar el nacimiento de una nueva era".

“Las fuerzas tenebrosas”.

En la Suprema Corte

Cuando se acabó de construir a mediados de 1940 el nuevo edificio de la Suprema Corte de Justicia de la Nación, a un lado de la Plaza Mayor, al sur de Palacio Nacional, Orozco es invitado a decorar el vestíbulo de pasos perdidos. Inició la tarea en enero de 1941 guiado por la convicción de que la Justicia es para el que trabaja. En el paño de arriba de la escalera de entrada exalta el contenido del Artículo 123 de la Constitución mexicana, donde se postulan los derechos de los trabajadores (jornada de trabajo, pago equivalente, salario mínimo, contrato colectivo, etcétera), ley adoptada durante un periodo de ascenso de la lucha de los obreros. Los otros tres tableros están dedicados a simbolizar todo cuanto, en el terreno de la justicia, coarta o anula en la práctica los derechos de los trabajadores: corrupción, mediatización, represión, control sindical.

Ya para el 23 de octubre de 1941, el crítico español José Pijoán, el promotor de su primer mural en los Estados Unidos, escribía en el periódico *Excélsior* sobre la belleza volcánica, dinámica, explosiva, apasionada de esas pinturas: "Son aborígenes, autóctonas y raciales; pero no como los cachivaches para turistas, sino con el espíritu de esta tierra que está en las nubes, en las montañas, en los árboles y en las gentes. Los frescos de Orozco, en el Palacio de

Justicia son el remate de toda su obra. La gigantesca alma adolorida del gran pintor mexicano ha tenido que estar incubando por largos años su último estilo. Desde los frescos de la Preparatoria, que son el balbuceo de su genio, hasta los de ahora, treinta años de aplicación, meditación, elaboración, sin entretenerse en frivolidades de ninguna clase".

Para Pijoán, Orozco despliega en esas paredes todo un sistema de filosofía, una síntesis de lo que es, ha sido y será México. "¡Que venga un filósofo o un pensador para decirlo más claro! El jaguar mexicano brinca la bandera defendiéndola —hay que defenderla como un jaguar—. Debajo están las riquezas del subsuelo. No se menciona la agricultura. Estamos y estaremos en el reinado del frijol y el nixtamal —el reptil larguirucho se escurre por dentro, el costillaje descarnado. Los frescos laterales de Orozco y en el rellano de la escalera del Palacio de Justicia, la gran Justicia— que aquí y en todos lados acaba por imponerse".

Quien contemple esos murales comprenderá que Orozco no participaba del optimismo de Pijoán. Él conocía muy bien los obstáculos de todo tipo que causaban profundos daños en el movimiento obrero. Pero toda imagen es complementada por la ideología del observador y, para Pijoán, las pinturas del Palacio de Justicia podían producir el siguiente efecto: "Acaso al atravesar delante de los frescos de Orozco, algún magistrado o actuario se verá allí como en el espejo y decidirá mejorarse definitivamente. Si fuera así, Orozco, además de artista y filósofo hubiera sido reformador". Pijoán tocaba también la cuestión del mecenazgo, punto por demás controvertido antes, entonces y todavía: "Las generaciones a venir admirarán a los que desde el pedestal del poder han autorizado aquellas pinturas y no sólo los admirarán como hombres de buen gusto, sino también como, liberales y filósofos". Largo ha sido el debate en México sobre la relación del Estado, y concretamente de los gobernantes, con los artistas. A esa discusión Orozco no aportó palabras sino imágenes que ampliaron siempre los espacios no burocráticos de expresión de las ideas.

La restringida paleta de Orozco en la Suprema Corte (grises, azules, blancos, amarillos, rojos) demuestra su necesidad de no dejarse tentar por los fáciles impactos cromáticos. En anotaciones teóricas hechas a principios de los años treinta para exclusivo uso personal, Orozco escribía: "La pintura es la determinación de los valores; de las relaciones exactas entre formas, colores, espacios, dimensiones, expresiones". Consciente de que la materia es tanto texturas como color, Orozco establecía relaciones entre la materia y las ideas, la materia y las emociones, la materia y los conceptos. En la Suprema Corte la conceptualización descansa en buena medida en efectos de contraste entre grises claros y rojos encendidos.

Al terminar las pinturas de la Suprema Corte concluyó un autorretrato iniciado en 1937 y volvió a su tema de siempre: salones de baile, escenas de prostitución. A diferencia de su última pintura mural, en el caballete se entrega a un desborde cromático, al abigarramiento de formas, a las texturas, a "diabluras" como él gustaba decir socarronamente. Su amplio taller en la casa de Ignacio Mariscal se prestaba a experimentos. Orozco mismo lo había supervisado con un gran ventanal al norte, altas ventanas en otros muros y un tragaluz.

A mediados de 1941 comienza un intercambio de opiniones con la Sociedad de Estudios Cortesianos para decorar la iglesia del Hospital de Jesús. La iniciativa de esa decoración fue del propio Orozco, pero como la Sociedad sesionaba en un salón de ese hospital, el más antiguo del Continente, a sugerencia de Justino Fernández el pintor dio un informe de su proyecto al presidente de la misma, el ingeniero e investigador Rafael García Granados.

En el curso de la conversación hubo quizá una solicitud de bocetos o algo semejante. Orozco decide entonces enviar una carta para fijar su criterio al respecto y defender la libertad del artista para expresarse:

"En las artes aplicadas es posible hacer un boceto de la obra final y prever todas las consecuencias de estas partes con el funcionamiento de las mismas. Así, un edificio puede y debe ser previsto hasta en sus menores detalles, y lo mismo una obra teatral o un informe presidencial; pero jamás podrá preverse una obra de poesía pura. No es posible hacer el 'boceto' de una sinfonía, ni de un soneto, que son meras aventuras del espíritu. El solo hecho de poner límite y condiciones sería la negación absoluta de la obra que se pretendiera hacer. Tal es el caso de la pintura considerada como poesía pura. Es verdad que la pintura mural puede considerarse como arte aplicado, por las relaciones que debe tener, necesariamente, con la arquitectura y con el lugar en donde se encuentra. Claro que debe tener límites y condiciones, pero tales límites y condiciones no pueden ser fijados empíricamente por personas ajenas al oficio y sin ninguna experiencia directa en el arte de que se trata. El problema de las relaciones entre la pintura mural y la arquitectura, sólo pueden ser resueltas directamente sobre el terreno y en el momento mismo de la ejecución. De nada servirá un proyecto demasiado preciso, el cual habría que modificar continuamente para adaptarse a la realidad, siendo el resultado completamente diferente del boceto primitivo. Son tantos los elementos que entran en juego, como son: proporciones, distancias, luz, tonos, color, ambiente, etc., que no es fácil en modo alguno prever de antemano el resultado final.

La Alegoría del Apocalipsis

En la mente de Orozco bullía un proyecto que él suponía bastante diferente al de los miembros de la Sociedad de Estudios Cortesianos. Anticipándose a posibles choques, decía en la carta al presidente de la misma: "Los grandes dramas de la humanidad no tienen por qué ser 'glorificados', como no lo serían las manifestaciones de las fuerzas naturales, por ejemplo, el rayo o la erupción de un volcán. Al problema de la Conquista de México hay que acercarse, creo yo, con verdadero espíritu crítico, con respeto y serenidad, manera opuesta, precisamente, a como lo hacen los demagogos de plazuela. Por otra parte, el tema en el arte es sólo un medio y no un fin".

Si alguien esperó una pintura historicista en el templo de Jesús Nazareno, debe haber sufrido una gran desilusión. En una iglesia que posteriormente se volvería a abrir al culto, Orozco quiso abordar un tema religioso y se decidió por el Apocalipsis. No sólo no habría de recibir honorarios por su trabajo, sino de su cuenta corrió el gasto de andamios y materiales, habiendo aplicado inicialmente un sobrante del pago recibido por las pinturas de la Suprema Corte.

La preparación de los muros fue iniciada en noviembre de 1941 y Orozco principió su trabajo en marzo de 1942. En enero de 1944 el trabajo fue interrumpido y nunca pudo retomarlo. Comenzó por la bóveda del coro, siguió con el muro del fondo del coro, para abordar después la bóveda del primer tramo de la nave. La tardanza en la ejecución, se debió a los múltiples compromisos surgidos durante ese tiempo, así como una intensa dedicación a la pintura de caballete. Muchos cuadros con temas de la religión cristiana. Diseños de trajes y decorados para la compañía de ballet de Gloria y Nellie Campobello. Redacción de los quince artículos publicados en el periódico *Excélsior* entre el 17 de febrero y el 8 de abril de 1942, reunidos en libro en 1945, por iniciativa de Agustín Yáñez, con el título de *Autobiografía*.

El proyecto de los artículos surgió una noche de octubre de 1941. El periodista Oliverio Toro encontró a Orozco en un salón de baile acompañado de una pareja de bailarines de la compañía del coronel Wasili de Bassil. En un momento en que los jóvenes se sintieron llamados por la música de un danzón y ganaron la pista, Oliverio Toro se acercó al ensimismado Orozco para pedirle que le narrara su vida. No le disgustó la propuesta al pintor, pero le contrariaba conceder entrevistas. Aceptó con la condición de que él mismo escribiría la serie de artículos. El 23 de octubre de 1941 Oliverio Toro anunciaba en una nota el inicio de la publicación de "La vida de José Clemente Orozco narrada por él mismo". Debió repetir la misma nota en el *Excélsior* del 9 de febrero de 1942. Ocho días después comenzaron a publicarse los artículos escritos por Orozco, que se convertirían en el más citado de sus textos.

En la *Alegoría del Apocalipsis* del templo de Jesús Nazareno retomó el artista un lenguaje simbólico sin nexos con historia concreta alguna, practicado ya en el *Prometeo* de Pomona y en The *Dive Bomber* del Museum of Modern Art. Pero aquí la dinámica visual es llevada al paroxismo. Las formas redondas o angulosas se disparan virtualmente de una a otra parte de ese espacio arquitectónico, al que la composición pictórica se integra sin solución de continuidad. La tragedia de la segunda guerra mundial ha consternado a Orozco y las metáforas del libro de San Juan le dan pie para una composición sarcástica, angustiada, irritada e irritante.

La divinidad, el dolor humano, la piedad, lo angélico, lo demoníaco. El demonio atado, la liberación del demonio, la guerra, la ramera apocalíptica. La divinidad está representada como una estructura geométrica, como un supremo poder de la ciencia y de la técnica. Con las cuerdas de las ataduras del demonio, Orozco crea un dinámico juego serpentino de sentido trágico, como trágicas son también las vestiduras con formas humanas sin cuerpos dentro. Las ataduras con fuerza simbólica volverían a aparecer en el último de sus murales, el de la bóveda de la Cámara Legislativa en Guadalajara, pintado entre julio de 1948 y agosto de 1949.

Fue en Guadalajara donde Miguel Hidalgo expidió un decreto aboliendo por primera vez en América la esclavitud. Orozco toma a Hidalgo como la figura central de *La gran legislación revolucionaria mexicana*. Los esclavos martirizados conforman una trágica aureola alrededor de un revolucionario que de manera decidida escribe la palabra LIBERTAD. Más convencionales, carentes del gran arrebato que posee al libertador, fueron pintados, en un muro que corta la curva, los retratos de Morelos, Juárez, Carranza. La última figura completa, pintada en una composición mural por Orozco, fue la del esclavo encadenado que lanza feroz grito exigiendo su liberación.

Además del decreto dado por Hidalgo en Guadalajara, Orozco consideró en su composición mural de la Cámara Legislativa las leyes agrarias de Morelos, las de Reforma y las Constituciones de 1857 y 1917.

Pese a su enorme entusiasmo de toda la vida por las artes escénicas, Orozco hizo sus primeros diseños para ballet cerca de los sesenta años de edad. En 1943 el Ballet de la Ciudad de México, como asociación civil, constituyó un consejo directivo, del cual fue presidente Martín Luis Guzmán, secretaria Gloria Campobello, tesorera Nellie Campobello y vocal José Clemente Orozco. Gloria Campobello había compuesto, con la Sinfonía No. 8 de Schubert, *Umbral*, una coreografía que solicitaba una habitación suspendida en el espacio y paredes laterales transparentes que dejaran ver un cielo brumoso. Al fondo una puerta se abriría hacia una misteriosa lejanía.

El título de *Umbral* correspondía al umbral de la vida, desde el cual una muchachita descubre el amor, la risa, los juegos. Sus propios deseos de conocerlo todo, incluso el amor. El egoísmo, la hipocresía, el odio y la vanidad, el dolor se interponen en su camino. La vida, con todas sus tentaciones y sus monstruosidades, comienza cuando se traspasa el umbral de la infancia. Para esta sencilla historia Orozco hizo la escenografía y el vestuario. El estreno tuvo lugar el 27 de junio de 1943.

En 1945 Orozco repitió la experiencia de escenógrafo. Hizo los diseños de escenografía y vestuario para *Pausa*, argumento y coreografía de Gloria Campobello. Nellie Campobello, con argumento de Martín Luis Guzmán, música de Carlos Chávez y diseños de Orozco, presentó una obra ambiciosa: Obertura republicana. La danza clásica teñida de mexicanismo, practicada con poco rigor técnico por las hermanas Campobello, no fue del gusto de la crítica y del público, entusiasmados entonces con los primeros frutos de la danza moderna. Desde las páginas del periódico *Excélsior*, y ofuscado por su profundo afecto hacia Gloria Campobello, irrumpió Orozco como abogado defensor:

"La mejor prueba del magnífico éxito obtenido por el Ballet de la Ciudad de México en su segunda temporada es la virulencia de los ataques de que ha sido objeto:

censuras injustas, calumnias, negación absoluta de toda cualidad, desconocimiento u olvido intencionado de los hechos evidentes.

"Este ballet no es una improvisación, sino el resultado de más de diez años de trabajo diario, continuo, intenso, inteligente, de las hermanas Campobello. Ellas han educado en el arte de la danza, desde los primeros pasos, a un numeroso grupo de jóvenes. Ellas fueron las primeras en idear y realizar ballets de grandes conjuntos al aire libre. Ellas hicieron el más profundo, completo, y tal vez único estudio técnico de las danzas folclóricas mexicanas. Ellas le han dado vida a la única organización formal de ballet clásico que existe en toda la nación. Ellas han sido, y son, las más fecundas coreógrafas y argumentistas, y por si no fuera suficiente tan brillante esfuerzo, una de ellas, la primera bailarina (se refería a Gloria), es una ejecutante cuyas posibilidades y dotes personales pueden llevarla a los primeros escenarios del mundo. Nuestra patria cuenta en su historia con muy ilustres mujeres en el campo de las artes y quisiéramos que llegara el momento de las liquidaciones, que no ha llegado todavía, para ver qué lugar corresponde a las hermanas Campobello".

La defensa de Orozco se basaba en el empeño de ese grupo por lograr algo propio, tal como lo habían hecho en su momento los pintores: "Los que quieran hacernos creer que por ser una organización mexicana, el Ballet de la Ciudad de México es inferior e incapaz, llegan demasiado tarde con su estúpido argumento; esos tiempos ya pasaron o los hicieron pasar por la fuerza los primeros contemporáneos de este país. Siempre estaremos dispuestos a tomar las lecciones del arte universal, vengan de donde vinieren y de quien pueda dárnoslas, pero eso es absolutamente diferente a considerarnos inferiores al resto del mundo e incapacitados para crear y vivir nuestro propio arte". Los puntos finales de su argumentación eran de carácter vanguardista: "El ballet sólo mira hacia el pasado como un buen discípulo que ve a sus antiguos maestros, pero a donde dirige sus ambiciones es hacia el futuro, en un mundo sacudido hasta sus cimientos por un ansia incontenible de renovación, en una época la más furiosamente revolucionaria. Es preciso superar el antiguo ballet francoruso y el nuestro lo hará, lo está haciendo ya, liquidando un hermoso pero ya caduco y gastado capítulo de arte romántico descriptivo, para llegar hasta el altísimo nivel de pureza lírica y poesía inmaculada alcanzado por las artes plásticas de nuestra época".

No serían las hermanas Campobello y su clasicismo mexicanista, pobre en técnica, quienes liquidarían lo caduco; esa acción le correspondería a la danza contemporánea mexicana.

El 25 de noviembre de 1942, durante un banquete al que habían asistido 250 intelectuales, el Presidente Manuel Ávila Camacho pronunció un discurso destinado a ganar la confianza de los intelectuales hacia su gobierno, gobierno que echaba por tierra muchas de las orientaciones avanzadas del periodo cardenista. "Un gobierno democrático —expresó— no tiene derecho a querer que el apoyo de los intelectuales se le depare de un solo golpe, por la sola virtud de su autoridad. Además, un intelectual que respeta su jerarquía no puede comprometerse honorablemente sino a una cosa: a ser leal con su propio espíritu; es decir, a no reflejar los hechos con un espejo deformador, a no mentirnos y a no mentirse, a cuidar de la imparcialidad de sus reacciones y de sus juicios, y a no criticar arbitrariamente lo que no ha examinado, primero, con paciencia y rectitud. De ahí mi inflexible propósito de no reducir por ninguna causa la libertad de expresión que nuestras leyes garantizan tan ampliamente".

Ante las acechanzas de la segunda guerra mundial, el Gobierno requería a los intelectuales para ampliar su prestigio y su base social. Otra medida en el mismo sentido fue el decreto del 8 de abril de 1943 para fundar, bajo el lema de "Libertad por el Saber", el Colegio Nacional, establecido el 15 de mayo de ese mismo año. Orozco se contó entre sus miembros fundadores junto con Diego Rivera, Mariano Azuela, Alfonso Caso, Carlos Chávez, José Vasconcelos, Manuel Sandoval Vallarta, Ezequiel A. Chávez, Ignacio Chávez, Manuel Uribe Troncoso, Enrique González Martínez, Isaac Ochoterena, Ezequiel Ordóñez y Alfonso Reyes. Se pretendía que El Colegio impartiera enseñanzas acordes a la sabiduría de la época para fortalecer la conciencia nacional.

Orozco decidió que su discurso sería visual y, entre 1943 y 1948, presentó cada año una exposición. Fuera de la primera, constituida por cuadros y dibujos de reciente producción, las siguientes fueron especialmente preparadas.

Contemporáneamente al mural en el templo de Jesús, había realizado Orozco varios trabajos de tema religioso. Algunos fueron expuestos en su primera entrega al Colegio Nacional: *San Pablo y San Esteban, El Gólgota,* estudios para un ángel y la cabeza de la ramera apocalíptica del mural en proceso, *La resurrección de la carne, Muerte y resurrección.* Casi la mitad de las 24 piezas expuestas eran esquemas y dibujos. Uno de ellos, el de una mujer acostada con brazos y piernas en movimiento, fue reproducido en el anuncio. No hubo catálogo.

La exposición de 1944 estuvo constituida por 25 pinturas al temple, al óleo y al duco; 25 dibujos a lápiz y tinta, y 14 grabados al aguafuerte, aguatinta y puntaseca. La prensa en la que fueron tiradas esas estampas fue instalada en el estudio de Orozco en noviembre de 1943. Casi todas las pinturas demostraban su repudio a la guerra, al militarismo, al neocolonialismo ejercido con toda violencia por las naciones fuertes contra las débiles. Pieza sobresaliente de este periodo es la monstruosa y obesa *Victoria* alada que avanza entre cadáveres por un río de sangre. Otra más es la *Nación pequeña*, representada por una mujer desnuda torturada por uniformados de ayer y hoy.

Orozco aspiraba a otra función del arte, pero tenía conciencia de la trama de intereses que sojuzgaban a los individuos determinando obras y actitudes. En otra carta a Justino Femández descarga sus tensiones: "He meditado largamente acerca del momento actual, he revisado ideas, visto todo lo anterior, indagado, todo un verdadero examen de conciencia y he tratado de llegar a conclusiones en todos sentidos; pero, sobre todo prácticas, como buen pintor, es decir, como obrero, simple *maistro*, peón y mano de obra, brasero (...) Ya estoy harto de mis propias payasadas y las de la Escuela de París. En una comida conocí a Dalí y a su mujer Gala. Vale más no hablar del prójimo. Él está en las mismas. Soy culpable de sus mismos pecados".

En carta de julio de 1946 al doctor Alvar Carrillo Gil, en días cuando este apasionado coleccionista incrementaba el capítulo Orozco, el pintor aborda una vez más la cuestión del mercado y sus valores convencionales: "Verdaderamente no sé ahora ni he sabido nunca qué precio ponerle a mis obras. Usted sabe que no existe base ninguna para fijar precio a una obra de arte, salvo el que ésta adquiere más tarde en manos de revendedores y comerciantes, y aún en este caso también fluctúa demasiado por muchas razones que usted conoce bien. Si en mercaderías cuyo valor depende solamente de costos de materias primas y mano de obra es difícil algunas veces determinar precio en un momento dado, con mayor razón cuando se trata de cosas inmateriales y de valor puramente estimativo y convencional".

En El Colegio Nacional

En 1947 Orozco exhibió en El Colegio Nacional 59 obras inspiradas en la *Historia verdadera de la Conquista de la Nueva España*, de Bernal Díaz del Castillo. Del célebre libro Orozco exprimió una serie de imágenes de vigorosa originalidad, tanto para significar los mitos y rituales aborígenes como la feroz violencia de una guerra de conquista. Por primera y única vez le puso título a su entrega anual a El Colegio: *Los teules*, los dioses blancos invasores. Feroces batallas, confusión, mitos que se derrumban, cuotas de muerte por ambas partes. Poema visual de sostenido tono trágico y estrofas tan notables como *Piel en azul* (la piel para un sacerdote en el ritual del Xipe-Totec, del desollamiento), *Desmembrado* (pensado como la violenta ruptura de una concepción de la vida), *El alanceado* y su complementario, *Cabeza flechada*. Las 59 obras fueron trabajadas en piroxilina, en temple o en tinta.

La sexta y última exposición en El Colegio Nacional (del 1 de octubre al 15 de noviembre de 1948) consistió en seis pinturas a la piroxilina, más 40 estudios y bocetos para los murales trabajados entre 1947 y 1948: *Alegoría Nacional* en el Teatro al Aire Libre de la Escuela Nacional de Maestros, seis tableros en la entrada principal y el vestíbulo de la misma Escuela: *Retrato de don Benito Juárez* y *Alegoría Histórica de la Reforma*, en la sala de la Reforma y el Imperio, en el Museo Nacional de Historia de Chapultepec; *La Gran Legislación Revolucionaria Mexicana* en el Salón de Sesiones del Poder Legislativo del Estado de Jalisco, en el Palacio de Gobierno de la ciudad de Guadalajara. Casi 500 metros cuadrados de pintura. Todos estos trabajos fueron hechos al fresco, con excepción del primero, donde Orozco empleó una técnica muy novedosa, explicada por él en las amplias notas del catálogo con una precisión del todo infrecuente, tanto en los temas como en los procedimientos.

Fue el arquitecto Mario Pani quien invitó a Orozco a pintar el nuevo edificio de la Escuela Nacional de Maestros. La composición está hecha con grandes formas acusadamente geométricas: un águila y una serpiente, símbolos de la vida y la muerte, son representación de la tierra mexicana. Las piernas de un hombre, cuyo torso no aparece, ascienden por una escalera gigantesca. Una mano pule la piedra. "Las formas de la composición —explicó Orozco— están organizadas de manera de acusar y conservar la forma parabólica del muro, visto a cualquier distancia".

Se pintó sobre concreto utilizando silicato de etilo en la fórmula aconsejada por el químico Manuel Jiménez Rueda y el pintor José Gutiérrez, ambos del Taller de Ensayo de Materiales, del Instituto Politécnico Nacional. Para enfatizar algunas líneas se hicieron profundas incisiones en el concreto, o aplicaciones metálicas de aluminio, acero inoxidable y latón.

En las notas del catálogo, Orozco daba la fórmula del silicato usada por él y reproducía descripciones del material tomadas de un folleto y una revista especializada. Informaba después sobre su propia experiencia con el novedoso material: "Todos los pigmentos que usa el pintor, por regla general, se pueden usar con el silicato de etilo, pero según nuestra experiencia en la Escuela Normal, hay algunos que pegan mejor que otros. Por ejemplo, las mezclas de grises hechas con blanco de zinc y de titanio, negro y un color cualquiera, pegan mejor que algunos colores puros y demasiado molidos. Los mejores materiales que pueden servir de base para usar este silicato son el concreto vaciado y las hojas de asbesto-cemento. También se puede usar sobre materiales de poca absorbencia o ninguna, como los metales, pero en este caso hay que adelgazar el vehículo con toluol o xilol".

Con gran satisfacción Orozco anotaba: "Después de un año, la pintura al silicato de etilo en la Escuela Normal está tan brillante y resistente como en los primeros días; no ha sido afectada por los agentes atmosféricos y ha resistido la acción de los ácidos, de sosa cáustica y aun del fuego de un soplete". Su prolija ficha técnica concluía con lo siguiente: "Otra novedad muy importante de este mural es el hecho de haber sido, ejecutado indirectamente, es decir, por un equipo de ayudantes bajo la dirección del autor. Los bocetos fueron dibujos muy precisos, a escala, lo mismo que para la construcción de un edificio. Cada línea, cada proporción, cada color y cada tono están calculados, como se calculan las líneas y proporciones de cualquier estructura moderna, consiguiéndose así una más fácil identidad con la arquitectura misma de la construcción. Esta manera de ejecución se ha hecho por primera vez en México. Los ayudantes que formaron el equipo fueron los estudiantes de pintura: Alfonso Ayala, Armando López Carinona, Ramón Sánchez, Guillermo Monroy, Juan Franco, Arturo Estrada y Fermín G. Chávez. Todos ellos trabajaron muy eficazmente y con gran entusiasmo".

Fue quizá la edad avanzada —Orozco contaba entonces 63 años— la que lo empujó a valerse de un equipo de ayudantes que ejecutara íntegramente los 380 metros cuadrados de la novedosa decoración. Orozco nunca explicó qué motivos lo llevaron a integrar el equipo con jóvenes artistas y no con pintores de brocha gorda. Es posible que haya supuesto que los primeros estaban más predispuestos para sensibilizar la factura y captar el imponderable del arte. Sea como fuere, después de visitar una exposición de nuevos valores que el Frente de Pintores, Escultores y Grabadores Jóvenes de México presentaba por esos días en el Museo de la Flora y la Fauna, en Chapultepec, integró su equipo.

¿Qué Frente era ése al que acudió Orozco? Hacia 1945 un grupo de artistas casi adolescentes decidieron unirse para compartir los problemas y las tareas del arte de su generación, y constituyeron la Unión de los Jóvenes Artistas Revolucionarios, cuyas primeras actividades consistieron en exposiciones de alcance popular en parques, mercados, barriadas proletarias. El 11 de enero de 1946 el grupo publicó un Manifiesto dirigido "Al pueblo de México", revelador de la euforia socialista que imperaba en un sector avanzado y activo de la vida cultural mexicana. Querían poner su producción artística en contacto con el pueblo, utilizar el arte en contra de explotadores que atropellaban al pueblo de mil maneras, haciéndole llevar una vida miserable y nada humana, dificultando su libertad y su progreso. Querían cerrar filas con las fuerzas más avanzadas en pro del progreso social, económico y político de México. El grupo inicial buscó alianzas con otros artistas y se conformó el Frente de Pintores, Escultores y Grabadores Jóvenes de México. Esta agrupación, con el patrocinio de organismos tan disímiles como el Sindicato de Trabajadores Ferrocarrileros, la Secretaría de Agricultura y Ganadería, la Universidad Nacional Autónoma y la Cámara Nacional de la Industria de Transformación, presentó, en diciembre de 1947, la gran exposición de nuevos valores en los salones del Museo de la Flora y la Fauna, en Chapultepec, recinto convertido posteriormente en las Galerías Chapultepec y derruido en 1964 para levantar ahí el Museo de Arte Moderno. A esa exposición asistió Orozco en busca de ayudantes para el trabajo mural en la Escuela Nacional de Maestros.

Las tareas se iniciaron en noviembre de 1947 y culminaron hasta abril del año siguiente. Para el grupo de jóvenes, aquel fue un periodo de experiencias sorprendentes. Entraron en contacto con un Orozco en la cúspide de su labor creadora. Participaron en una empresa de alta categoría profesional: por el uso de la pintura al silicato de etilo aplicada directamente sobre el concreto, los andamios quedaron convertidos en laboratorio de experimentación. Además, la concepción de la *Alegoría nacional* aportaba muchos elementos de renovación a los presupuestos del muralismo mexicano. El arreglo de símbolos esquemáticos estaba pensado como un inmenso jeroglífico, una ideografía, un enigma que debía descifrarse en un proceso de conceptualización. Sin la fuerte carga emotiva de la mayoría de sus murales. Orozco refería al hombre del presente "que en un momento angustioso de su historia lucha con desesperación por sobrevivir a la más tremenda crisis". Aquí repetía la idea de ascensión, de entrega, de superación, como en el hombre de fuego de Guadalajara, pero convirtiéndola en un concepto sin representación total. La cabeza en las nubes del hombre de la Escuela Normal no era visible; mas lo no visible, lo no representado se integraba a la representado con plena significación.

"Migración". Fresco, 1932-34.

El Premio Nacional

El Premio Nacional de Artes y Ciencias fue instituido por decreto del 30 de diciembre de 1944. El primero en recibirlo fue Alfonso Reyes. Consideró Justino Fernández que la siguiente entrega debería hacerse a su admirado pintor y así se lo hizo saber. Orozco, desde Nueva York, le respondió: "Yo no lo merezco de ninguna manera. Eso queda para los intelectuales, para hombres de capacidad y largo estudio, no para los pobres diablos de los pintores, carpinteros, zapateros. Allá que se alcen y se barajen en las altas esferas universitarias, en donde se piensa tan profundamente y de verdad. Yo estoy más contento y satisfecho embarrando tinta y colores en papel, tela o paredes. El 'premio', para mí, sería la oportunidad de pintar en otro edificio como el Hospicio de Guadalajara, pero sin las prisas ni las miserias con que tuve que hacerlo aquella vez. En perfecta calma y tranquilidad y sin el temor de que se venga abajo la cúpula, en cualquier momento".

Para otorgar por primera vez un Premio Nacional a un artista plástico se utilizó un procedimiento muy abierto. Hubo una convocatoria invitando a los artistas a enviar una o dos obras producidas en los últimos cinco años. Sólo se rechazarían las que atentaran contra la Constitución y las leyes. La comisión para otorgar el Premio quedó integrada por el Secretario de Educación Pública, Jaime Torres

Bodet; por Alfonso Caso y Diego Rivera en representación de El Colegio Nacional; por Antonio Alzate, Federico Mariscal y Salvador Toscano de la Academia Nacional de Ciencias, y por la Universidad Nacional Autónoma, Manuel Toussaint y Justino Fernández. Acudieron a la convocatoria diez arquitectos, 23 grabadores, 192 pintores (49 de ellos fuera de concurso) y 18 escultores. En total se reunieron 500 obras de 245 artistas. La exposición fue instalada por Fernando Gamboa y se inauguró en el Palacio de Bellas Artes el 22 de julio de 1946.

El envío de Orozco consistió en grandes fotografías del inconcluso mural del templo de Jesús Nazareno. La comisión dictaminadora se estuvo reuniendo durante tres meses. Rivera no estuvo de acuerdo con los planteamientos y se retiró. Por sugerencia de Justino Fernández entró en su lugar Juan O'Gorman. Las discusiones continuaron y al fin de cuentas no hubo unanimidad porque O'Gorman sostuvo su voto en pro de Frida Kahlo. A ella y a Julio Castellanos, que también había quedado en la recta final, les fue entregado, el mismo día que a Orozco el Nacional, el Premio Educación. Tres años antes, en 1943, la Sociedad de Arquitectos Mexicanos había honrado al muralista nombrándolo Arquitecto *Honoris Causa*.

Fue el propio Orozco, ayudado por Justino Fernández, quien distribuyó las 630 piezas de esta "gigantesca biografía plástica" como la calificó Pellicer. La exposición se inauguró el 7 de febrero de 1947. En la parte final del catálogo, se imprimió la siguiente aclaración: "Siendo Secretario de Educación Pública el señor Jaime Torres Bodet, Carlos Pellícer director general de Educación Extraescolar y Estética, y el licenciado Salvador Toscano, jefe del Departamento de Artes Plásticas, se inició la organización de esta Exposición Nacional de la obra del pintor José Clemente Orozco. Acabó de instalarse y se inauguró dicha Exposición siendo Secretario de Educación Manuel

Gual Vidal, Carlos Chávez, director general del Instituto Nacional de Bellas Artes, y Julio Castellanos, jefe, del Departamento de Artes Plásticas. Este catálogo fue impreso en los Talleres Gráficos número 2 de la Secretaría de Educación Pública, bajo la dirección de los señores licenciado Salvador Toscano, Federico Canessi y Julio Prieto".

Seiscientas treinta y seis fueron las piezas enlistadas en el catálogo. La más reciente era una mano ciclópea, de 2.14 x 1.22 metros, con muchos dedos y el índice apuntando hacia lo alto, pintura al duco hecha en los días del montaje para llenar un hueco que desentonaba en medio de la tupida trama de la museografía. Lo enlistado es prueba definitiva sobre la constante necesidad de Orozco de darle al público todas las pruebas de la difícil, compleja y paciente labor de un pintor monumentalista.

La exposición se abría con dos caricaturas de 1911; seguía con 16 óleos y acuarelas de la segunda década, o sea, ejemplares notables de las "casas de llanto" de pequeñas dimensiones, y el gran cuadro de 1.39 x 2.13, pintado en 1915 sobre tela de colchón: *Las últimas fuerzas españolas evacuando con honor el Castillo de San Juan de Ulúa*; cerraba con 42 cuadros realizados entre 1923 y 1946. Más de la mitad (23) habían sido realizados en este último año, uno de los más prolíficos del pintor en obra chica, sólo superado por el ciclo de la Conquista para la exposición del '47 en El Colegio Nacional. Figuraron 24 litografías y diez grabados en metal. El lote de dibujos a tinta, lápiz y carbón, de variados estilos y asuntos, donde sobresalían las alegorías, era muy numeroso: 85. Pero los bocetos, estudios preparatorios y calcas para los murales, hechos en tinta, acuarela, lápiz, crayón, carbón o temple, constituían una verdadera catarata visual: 46 para la Escuela Nacional Preparatoria, tres para la Escuela Industrial de Orizaba, 14 para el Colegio de Pomona, 15 para la Nueva Escuela de Nueva York, 91 para el Colegio de Dartmouth, diez para el Palacio de Bellas Artes, 36 para el paraninfo de la Universidad de Guadalajara, 15 para la escalera del Palacio de Gobierno, 133 para el Hospicio Cabañas, seis para el *Bombardero de picada* del Museo de Arte Moderno de Nueva York, 19 para la Biblioteca "Gabino Ortiz" de Jiquilpan y otros tantos para la Suprema Corte. Cerraba este formidable informe gráfico sobre una larga tarea de 23 años, con 48 estudios para el templo de Jesús Nazareno.

Salvo unas pocas excepciones, este inmenso tesoro era propiedad del artista, lo que demuestra cuán poco había vendido en México. La colección Carrillo Gil, donde se llegarían a contar 131 obras de Orozco, entonces sólo poseía nueve. César Martino, otro coleccionista, poseía seis. El Instituto Nacional de Bellas Artes tan sólo dos, que no compró sino que le habían sido donadas. El doctor Ignacio Chávez le había encargado el retrato de su hija Celia, que figuró en la exposición. También se colgaron los retratos de Luis Cardoza y Aragón, Justino Femández y Annette Stevens (después Nancarrow, por matrimonio). Estos retratos se cuentan entre los mejores hechos por Orozco y fueron obsequiados con afecto a esos amigos.

Para Orozco el retrato fue una práctica fortuita. Los realizó con la maestría de quien posee oficio y vigor expresivo; pero no era ese género el más excitante para su impulso creador. La persona, la criatura humana no se significaba para él por un rostro sino por su condición agónica. Nunca consideró que una cara fuese elocuente de por sí, confianza que apuntaló la euforia enciclopedista de Diego Rivera. Con un rostro, sabía Orozco, no se puede establecer un juego de contrarios, un choque de signos opuestos, motores fundamentales de su creación.

Ante el riquísimo laboratorio de un formidable trabajo en los muros, Castro Leal tuvo el acierto de advertir que se desequilibra una obra artística concentrando la atención sobre el asunto. "Lo que vale en ellas, puesto que son pinturas, es la expresión pictórica de esas ideas, no las ideas mismas". Y no soslayó el otro aspecto, el de un lenguaje visual complejo a veces hasta lo indescifrable: "Hay ocasiones en que la forma escogida resulta al espectador poco inteligible, en que tiene cierto aire de misterio apocalíptico susceptible de variadas interpretaciones. Todo lo que podemos decir es que el artista no ha sido incapaz de mayor claridad, sino que así, con esa perspectiva abierta hacia el misterio, quiso dejar al espectador frente a su concepción. No todas las horas son de claridad, ni en la naturaleza ni en el hombre".Explicó también Castro Leal, con palabras convincentes, el sentido fustigante de las imágenes orozquianas: "No es Orozco un pintor fácil y consolador, sedante y complaciente; todo el gran arte de nuestro tiempo perdió ya, acaso para siempre, esas características. Nuestro mundo está en el centro de un remolino de inquietudes, ante la amenaza de la negación y del vacío. Este mundo tan revuelto, tan confuso y trágico, en ningún pintor de nuestro tiempo alcanza expresión más desgarradora e inquietante que en José Clemente Orozco".

También Jorge Juan Crespo de la Serna, el temprano colaborador, el modelo, el testigo de algunos esfuerzos supremos, comprendió las razones de Orozco para poner su laboratorio al desnudo: "El pintor, *motu proprio*, se despoja de la aureola de esoterismo y magia que la gente atribuye a los grandes artistas, como si fueran seres que realizan milagros; y no tiene ningún empacho en dejamos ver cómo trabaja; cómo agrupa en su mente distintos módulos de una fuerza motora de expresión; cómo los encauza y transforma, dándoles cuerpo tangible. (...) Exposición hecha con el fin determinado de demostrar esas metamorfosis de ideas y de formas, en sus sístoles y diástoles, en sus profundas reacciones unas sobre otras. (...) El carácter general de la obra de Orozco no es superficial ni alegre. Pinta los dolores y fatigas del hombre. Ha pintado, con la crudeza de una autopsia, las miserias y quebrantos del pueblo mexicano, del pueblo en general; las mentiras históricas; las heroicas y medio inconscientes luchas; las crudas realidades sociales y económicas. Cuando concibe una escena objetiva, aparentemente intrascendente, la marca siempre con un soplo personal de tristeza. Para Orozco la vida es un conflicto eterno de intereses, de mitos, de afirmaciones y negaciones, de búsquedas inacabables, de intentos fallidos. En ese mundo todo es desolación y duda; apenas de tanto en tanto surge un signo de ternura, de piedad, que ilumina como lampo fugaz horizonte amargo. Pero no, no me satisface esta impresión. Más bien creo que Orozco, igual que todos los verdaderos genios, emplea la pintura para mostrarnos imparcialmente, de un modo bastante objetivo, la vida tal cual es, sin eufemismos, sin velos: un continuo batallar, una acción sin fin ni principio, una acción que muere en sí misma, y en sí misma encuentra su resurrección".

En unos cuantos párrafos, Orozco resumió con certeza las ideas prevalecientes en el muralismo mexicano a partir de 1922: "Todos los pintores comenzaron con asuntos derivados de la iconografía tradicional cristiana o franca, y literalmente tomadas de ésta. Se encuentran en los primeros murales la figura barbada e imberbe del Pantocrato, vírgenes, ángeles, santo-entierro, mártires y hasta la Virgen de Guadalupe. Sólo faltó el Sagrado Corazón de Jesús y San Antonio.

"Después de esta primera época aparecieron tres corrientes perfectamente definidas: una indigenista en sus dos formas, arcaizante y folklórica pintoresca, el Olimpo Tolteca o Azteca, y los tipos y costumbres del indígena actual con toda su magnífica riqueza de color.

"Una segunda corriente de contenido histórico en la que aparece la historia de México, de preferencia la Conquista, presentándola con criterios opuestos, contradictorios. Los personajes que son los héroes en un mural, son los villanos en otro.

"Y por último, una corriente de propaganda revolucionaria y socialista en la que sigue apareciendo, con curiosa persistencia, la iconografía cristiana con sus interminables mártires, persecuciones, milagros, profetas, santos-padres, evangelistas, sumos-pontífices, juicio final, infierno y cielo, justos y pecadores, herejes, emperadores iconoclastas, concilios, Savonarolas, inquisidores, jesuitas, Luteros, Calvinos, el Camino de Damasco, Fe, Esperanza y Caridad, el Santo Sepulcro y hasta Las Cruzadas. Todo modernizado muy superficialmente; si acaso fusiles y ametralladoras en lugar de arcos y flechas; aeroplanos en lugar de ángeles; bombas voladoras y atómicas en lugar de la maldición divina, y un confuso y fantástico paraíso en un futuro muy difícil de precisar.

"A toda esta imaginería anticuada se mezclan los símbolos liberales muy siglo XIX; la libertad con gorro frigio y sus indispensables cadenas rotas; La Democracia; La Paz; La Justicia vendada y cargando su espada y sus balanzas; La Patria; antorchas, estrellas, palmas, olivos y nopales; los animales heráldicos o simbólicos, incluyendo águilas, leones, caballos y serpientes. También tuvieron y siguen teniendo lugar muy prominente en los murales, los antiquísimos símbolos de la 'Burguesía enemiga del progreso', representada por catrines barrigones y con sombrero alto, o bien, por cerdos, chacales, dragones y otros monstruos que de puro viejos son tan inofensivos como la Serpiente Emplumada".

Otro párrafo revelador de su larga experiencia y de una conciencia integradora, es el referido a las maneras decorativas. Orozco distingue dos únicas maneras de pintar los muros de un edificio: conservando la arquitectura o destruyéndola. La una es estática, la otra es dinámica. "No se trata de que una sea buena y la otra mala, son, simplemente recursos, medios de conseguir un fin, un resultado, el cual sí puede ser bueno o malo, según las capacidades del pintor". Según el movimiento que sugiere por su estructura, una decoración puede ser estática o dinámica. Las pinturas estáticas se identifican con lo que tiene de estático una construcción arquitectónica. Las pinturas dinámicas están organizadas de tal manera que parecen cambiar completamente el mecanismo estructural del edificio y puede mejorar o superar el valor estético de la arquitectura.

Y a quienes se preguntaban cómo había sido posible el desarrollo de una pintura pública con tan rotundo contenido crítico, Orozco respondía: "Debe reconocerse que si en México ha sido posible lograr las experiencias más diversas en la pintura, ha sido por la absoluta libertad con que el artista se ha movido, sin restricciones de ningún género, salvo las de su propia personalidad; libertad que ha estado en evidente contraste con las abominables limitaciones paralizadoras, impuestas por regímenes absurdos. Puede tenerse por seguro que esa libertad, que México tiene por uno de sus dones más preciados, será defendida por todo artista genuino que como tal necesite expresarse por urgencia vital".

A Benito Juárez

A fines de 1947, Héctor Pérez Martínez, Secretario de Gobernación y Silvio Zavala, director del Museo Nacional de Historia, solicita a Orozco un tablero mural dedicado a Benito Juárez para la sala de la Reforma del Museo Nacional de Historia en Chapultepec. Lo realizó al fresco sobre un bastidor de 4 x 6.5 metros. La eficaz ayuda de Andrés Sánchez Flores y Fermín G. Chávez le permitió avanzar con mucha rapidez en la obra que tituló *Retrato de don Benito Juárez y Alegoría Histórica de la Reforma*. Fue iniciado el 27 de enero y concluido el 20 de marzo. La cabeza colosal del reformador, pensada como los pétreos retratos olmecas, está rodeada de las pruebas históricas que movieron a los liberales, con Juárez al frente, a librar encarnizada lucha contra los conservadores y la intervención extranjera. En la parte inferior, el cuerpo momificado de Maximiliano de Habsburgo es cargado por quienes sostuvieron en vida un imperio no deseado por el pueblo mexicano: José María Gutiérrez de Estrada, Joaquín Velázquez de León, Ignacio de Aguilar, Adrián Woll, Juan Ormaechea, el arzobispo Labastida, Napoleón III, Bazaine; Dubois de Saligny, el duque de Morny. Pero arriba de la momia, medrando oscuramente contra un pueblo que sabe levantarse en armas para defender su propia marcha histórica, aparece el clero oscurantista. Ese pueblo todavía desnudo, todavía miserable, sabe empuñar armas y levantar los estandartes de la patria cuando ésta es agredida por fuerzas colonialistas.

A la derecha de la cabeza de Juárez un soldado lleva en el gorro un número 57, símbolo de la Constitución promulgada en 1857. Un guerrillero de camisa desgarrada enarbola con su mano derecha una antorcha revolucionaria, mientras con la izquierda sostiene las cadenas amarradas al cuello de un mitrado satánico, vencido en sus retrógrados designios por las Leyes de Reforma. Este monstruo con garras tiene un cierto parecido con Luis María Martínez, entonces arzobispo de México, cuyo retrato pintó Orozco en 1944 y expuso luego en El Colegio Nacional, junto con el retrato de Carmen T. de Carrillo Gil, realizado también en ese año.

Las perdurables esencias históricas de la pintura de Orozco para la sala de la Reforma coinciden con el análisis de Alfonso Reyes sobre el mismo asunto: "El archiduque Fernando Max, como se le llamaba en Europa antes de su aventura imperial, no puede ser absuelto. No es verdad que haya sido engañado. Sobró gente que le abriera los ojos. Quiso engañarse solo. Se enamoró de su juguete explosivo, con una terquedad pueril que no hace honor a su inteligencia".

Y agregaba Reyes: "Las figuras más detestables del cuadro (el colmo de la ignominia) son, por supuesto, los mexicanos expatriados, que preparaban para su país un festín de sangre, con sus manos lavadas y dándose la gran vida en Europa: el fantasmón Gutiérrez de Estrada, enfermo de logorrea ultramoderna que causaba náuseas a los emperadores franceses, y el sinuoso señoritingo Hidalgo, su discípulo infiel, su aliado y su enemigo, perrito faldero de la atolondrada Eugenia. En cuanto al diabólico Almonte, que por lo menos vino a jugársela a México, no dudaba en abandonar a Labastida y a su santa madre la Iglesia para conservar la situación que debía a las tropas invasoras. (...) Si en nuestra época tuviéramos derecho a arrojar siquiera una chinta, que no una primera piedra, diríamos que el caso de la Intervención y el Imperio es uno de los capítulos más bochornosos de toda la historia".

"Autorretrato". Acuarela y gouche sobre papel.

"El tormento de Cuauhtémoc". Detalle, 1951.

Pinturas decorativas

Pocas fueron las pinturas decorativas hechas por Orozco para sitios recónditos o casas particulares. Tan sólo dos. Para el Turf Club, instalado en 1944 en un edificio del kilómetro 16 de la carretera a Toluca. En noviembre y diciembre de ese año pintó a la vinelita sobre masonite tres tableros: uno para el comedor (*La buena vida*), otro para el bar (*Charanga del pueblo* o *Fiesta de los instrumentos*) y el tercero para un pequeño salón (*La otra familia del fauno y la sirena*). Los primeros esbozos para estos tableros los había hecho en el mes de abril. La transfiguración semántica de figuras y objetos permiten inscribir a estas pinturas dentro del surrealismo mexicano. En el primero un jefe de cocina, con nariz a la De Gaulle, ofrece los manjares y los vinos de una alegría de vivir que habrá de sobrevenir después de la segunda guerra mundial. Hay aquí, para quien desee percibirla, una franca burla al uso del arte por una burguesía frívola y despreocupada que volverá a sus andadas después de la tragedia.

El segundo tablero contiene un baile de instrumentos que se contorsionan humanamente y contagian con su ritmo a ranas y lechuzas. En muchas ocasiones Orozco hizo burla de la mitología griega en pinturas al óleo y dibujos. En el tablero más pequeño del Turf Club se refiere a los líos amorosos de un sátiro y su posesiva hembra ante los encantos de una coqueta sirena. Con un colorido vivaz y elegante y una materia plástica muy delgada, Orozco logró la ligereza que un sitio de recreo de gente adinerada requería.

Removidos de las paredes originales, los tableros se dispersarán y el más grande fue instalado en el Museo-Taller en Guadalajara, de donde fue removido en 1982 para ser expuesto en Berlín Occidental. Seguramente a Orozco le hubiera disgustado que se resumiera su enorme labor de 26 años como muralista con esta pieza de novedosas calidades pero del todo circunstancial.

En abril de 1945, en casa de uno de sus médicos, el doctor José Moreno, en San Jerónimo, pintó un tablero con una figura central cubierta de hojas verdes y que pareciera cobrar impulso para la danza. Tras un pequeño telón de fondo y adornado con ramas, aparece otro personaje semejante a un actor de la legua. Este pequeño fresco, nombrado por Justino Fernández como *La primavera*, fue desprendido de la pared y adquirido en 1979 por el Instituto Nacional de Bellas Artes.

Debido a un ritmo de trabajo de quince o más horas diarias, excesivo para su débil organismo, la deficiencia cardiaca padecida desde la adolescencia se fue agravando. En 1947, para prevenir una miocarditis, le fueron extraídos todos sus dientes. Debido al desgaste, sufría cada vez con más frecuencia de gripe y bronquitis. En octubre de 1948 tuvo fiebres muy altas, pero ya en diciembre se encontraba en Guadalajara continuando la bóveda de la Cámara Legislativa y se aprestaba a cumplir otros encargos del gobernador Jesús González Gallo, de cuya esposa Paz Cortázar hizo en 1948 un buen retrato al temple.

Su estudio y el adiós

Tiempo atrás había vendido el estudio de la calle de López Cotilla, donde trabajó durante su estancia de 1935 a 1939. Guadalajara le agradaba sobremanera, lo hacía sentirse muy bien. La escritora Lola Vidrio lo vio caminar por esos días con paso ágil y el cuerpo erguido. Orozco decidió comprar en abonos, a fines de 1948, un terreno a las orillas de la ciudad, en el cruce de las carreteras a México y a Nogales. Calle Aurelio Aceves 27, junto a los Arcos. "Un crucero de caminos —le escribía a Justino Fernández el domingo 19 de junio de 1949—. El estudio no está terminado todavía, pero ya puedo ver desde la azotea, la barranca, Zapopan y las llanuras color ocre y allá muy lejos, algo del verde de los mezcales de Tequila". Y el 12 de agosto le contaba regocijado: "Después de la bóveda no he hecho nada. Así como suena: nada. He estado de vago. Pero pronto voy a volver a las andadas. Aquí ya hay estudio y todo lo necesario". Pero curiosamente al firmar Clemente, la caligrafía caía vacilante, temblorosa.

El estudio fue hecho por el propio Orozco con ayuda del ingeniero Luis Ponce Adame. Puso especial cuidado en el amplio ventanal del estudio, de nueve metros de altura, que cubría buena parte de la fachada. Pensaba habitar en esa casa-taller gran parte del año, y era tal su ansiedad que estaba todavía en construcción cuando se instaló con su overol azul, sus lentes con gruesos cristales de alta graduación, un camastro, lienzos blancos, un caballete, unos bancos y los botes y frascos con los colores de su paleta: blanco de España, amarillo cadmio, negro de humo, azul cerúleo, rojo brillante, tierra natural de Jalisco, violeta, cobalto, almagre; brochas, largos carrizos para pintar en altas paredes; reglas, escuadras, pinceles finos, lápices, espátulas, plumas, embudos...

Además del mural en la Cámara Legislativa, se había ocupado en limpiar las pinturas en la escalera del Palacio de Gobierno y a restaurar algunas partes del Hospicio Cabañas. Iba y venía. En su estudio de Ignacio Mariscal hizo grandes pinturas y dibujos enigmáticos: *Paisaje metafísico, Esclavo, Vela, Cabeza con llave, Procesión, Confesionario.* La opresión, la esclavitud, los fanatismos parecían atormentarlo, conmoverlo. Hay en estas obras un hálito de interrogantes definitivos sin respuesta posible.

Después de haber visto el *Paisaje metafísico* en el estudio de México, Justino Fernández anotó: "... un poco de tierra y una línea de horizonte, en la parte baja, un gran celaje con nubes y en la parte más alta un cuadro imperfecto, negro, como un agujero abierto en el infinito. Cuando me lo mostró comprendí luego su sentido: finito e infinito, la imposibilidad humana de asomarse o de conocer el infinito. Orozco sonrió y creo que aprobó".

Sobre las obras enigmáticas escribió Ceferino Palencia: "Nos ha llamado sobremanera la atención el papel de primer intérprete que el maestro ha otorgado a *La llave;* al objeto vulgar y corriente que, en esta ocasión, se ve magnificado por un sentido de hermetismo, de encerramiento material y espiritual que a la terrible esclavitud, con toda razón, ha querido asignar el creador Orozco. El pensamiento admirable de revestir al objeto llave con significado representativo se complementa con otro de no menor interés, en donde lo abstracto de la realización valoriza también la respectiva idea. Orozco envuelve y oculta la cabeza de su Esclavo con unos paños que, naturalmente, le producen impedimenta casi impenetrable para toda visión. Es decir, que con la llave y esa testa recubierta, las ideas de sumisión e ignorancia quedan formidable y claramente expuestas y muy originalmente practicadas. El gran pensador que es José Clemente Orozco, en esta reciente obra suya acaso sea donde se nos aparezca con más profunda claridad y pujanza ideológica".

En una conversación sostenida a mediados de 1947 con Alfonso Tealdo, agregado cultural de la Embajada de Perú en México, Orozco había dicho: "En cuanto a mensajes, ¡yo no soy un Mesías! ¿Pesimista? El arte no es pesimista ni optimista. Por lo demás, yo no tengo la culpa de que la vida sea trágica. Lo que sí puedo decirle es que la realización de la obra de arte no es tragedia, y eso es primordial".

Como contrapartida al rápido deterioro de su salud, al ser invitado por el arquitecto Mario Pani para decorar un muro exterior del Multifamiliar Miguel Alemán, en la Colonia del Valle de la ciudad de México, Orozco elige el tema de *La primavera*. El 6 de septiembre, hizo los primeros trazos directos sobre el muro con enorme dificultad, se sentía muy fatigado y se tendió en el pasto. Cuando a las cinco de la tarde llegó su hijo Alfredo, estudiante de arquitectura, su estado había mejorado, aparentemente. Esa noche recibió unas visitas, platicó hasta las once de la noche con su hijo Clemente. Al acostarse abrió un tomo de la *Summa Artis* de José Pijoán.

Entre las cinco y seis de la mañana del 7 de septiembre lo sorprendió la muerte mientras dormía. Margarita Valladares, la esposa de Orozco, le avisó por teléfono a Justino Fernández, y éste le habló a Carrillo Gil. Juntos llegaron a la casa de Ignacio Mariscal. El médico, amigo y coleccionista, recordó: "Su rostro tenía tal naturalidad, que no parecía demostrar ninguna contractura dolorosa de la agonía; su mano y sus miembros inferiores también estaban flácidos como si no hubieran sufrido contracción alguna en el último instante de la vida".

Entre Justino Fernández, Alvar Carrillo Gil y un sobrino de Orozco vistieron el cadáver. El escultor Ignacio Asúnsolo, director de la Escuela Nacional de Artes Plásticas, hizo la mascarilla del rostro y tomó una copia de la mano. Los jóvenes artistas Héctor Xavier y Desiderio Hernández Xochitiotzin dibujaron la cabeza del admirado colega. Los observaban con ánimo dolorido Jesús Reyes Ferreira, Pita Amor, Carlos Pellicer, Archibaldo Burns, Carmen T. de Carrillo Gil. A las 8:30 llegaron Diego Rivera y David Alfaro Siqueiros.

Mientras el ataúd era llevado al Palacio de Bellas Artes y colocado en un salón del primer piso donde comenzaron a sucederse las guardias, Rivera y Siqueiros en compañía de Clemente Orozco Valladares y Carlos Pellicer fueron a la Presidencia de la República, primero, y a la Cámara de Diputados, después, para tramitar que los restos fueran sepultados en la Rotonda de los Hombres Ilustres. En un primer momento, a solicitud de la diputación jalisciense, el Presidente Miguel Alemán había dispuesto que José Clemente Orozco fuera llevado a Guadalajara; pero su disposición cambió cuando el escritor José Rubén Romero se unió a Rivera y Siqueiros, y juntos se presentaron en la residencia presidencial de Los Pinos.

A las 18:30 horas del 8 de septiembre de 1949, Orozco era enterrado en la Rotonda de los Hombres Ilustres. La última guardia la hicieron Diego Rivera, David Alfaro Siqueiros, Pablo Neruda, Fernando Gamboa, Carlos Obregón Santacilia, Alejandro Carrillo, Jaime García Terrés y Rogerio de la Selva, éste en representación del Presidente Miguel Alemán, de quien era secretario particular. Ante la fosa abierta hicieron uso de la palabra Diego, Rivera, Pablo Neruda y José de Jesús Ibarra.

Tenía 65 años. Dejaba a sus espaldas un mundo sumido en la guerra fría. Con todos los matices de su elocuencia visual había proclamado su fe en el hombre, había luchado con todas las fuerzas de su espíritu por una vida menos insensata y mejor. Nada en su obra ha perdido energía porque sus anhelos humanistas no han sido satisfechos. La tragedia continúa.

Su pintura se asoma hacia el futuro. Y su final no es un acorde perfecto, sino que en él retumba el doble misterio del Universo y del hombre, el Hombre de Fuego en su ascensión infinita.

"Autorretrato".

TÍTULOS DE ESTA COLECCIÓN

Agustín de Iturbide
Adalberto Martínez "Resortes"
Agustín Lara
Álvaro Obregón
Amado Nervo
Antonio López de Santa Anna
Benito Juárez
Cuauhtémoc
David Alfaro Siqueiros
Diego Rivera
Dolores del Río
El Santo
Emiliano Zapata
Eulalio González "Piporro"
Fidel Velásquez
Francisco I. Madero
Frida Khalo
Gabilondo Soler "Cri-Cri"
Germán Valdés "Tin Tan"
Joaquín Pardavé
Jorge Negrete
José Alfredo Jiménez
José Clemente Orozco
José María Morelos
José Vasconcelos
Juan Diego
Juan José Arreola
Juan Rulfo
Justo Sierra
La Malinche
Lázaro Cárdenas
María Félix
Mario Moreno "Cantinflas"
Miguel Alemán Valdés
Miguel Hidalgo
Nezahualcóyotl
Pancho Villa
Pedro Infante
Plutarco Elías Calles
Porfirio Díaz
Quetzalcoatl
Rosario Castellanos
Salvador Novo
Sor Juana Inés de la Cruz
Venustiano Carranza

Esta obra se terminó de imprimir
en abril de 2004, en
Litográfica Ingramex, S.A. de C.V.
Centeno 162-1
Col. Granjas Esmeralda
México, D.F.